KB196577

인생의 승패는 어떻게 결정되는가

인생의 승패는 어떻게 결정되는가

인생이라는 긴 레이스를 뛰는 젊은 리더들에게

김대희 지음

클라우드나인
CLOUD 9

프롤로그

나만의 강점과 취미를 찾는 여정으로의 초대

자기 얘기를 글로 쓴다는 것은 쉽지 않은 일입니다. 아무리 감추려고 해도 자신의 삶이 투영되기 때문입니다.

젊은 날의 저는 아집투성이였으며 욕심 덩어리였습니다. 무엇이든 누구보다 잘해야 직성이 풀렸고 많은 것을 갈망했습니다. 좌충우돌일 수밖에 없었습니다. 운전대를 잡으면 200킬로미터 이상 달려야 하는 그 속도감으로 세상을 달렸다고 해도 과언이 아닙니다. 채워지지 않은 욕구는 언제나 나에게 질문을 던졌습니다. 산다는 것은 무엇인가? 어떻게 살아야 잘 사는 것인가? 어떤 삶이 행복한 것인가? 이 글들은 그런 것들이 투영된 제 삶의 얘기입니다.

한 우물을 33년간 팠다는 것은 대단한 일입니다. 다른 우물을 파는 일에 솔깃한 적도 있었고 한 우물에 싫증이 난 적도 있었습니다. 하지만 참고 삭이며 살다 보니 어느 순간 마지막까지 달려야 한다는 책임감과 더불어 자부심이 생겼습니다. 그 우물 속에서 누구보다도 치열하게 살 수밖에 없었습니다. 어쩌면 제가 유일하게 자랑할 수 있는 것이 이 '치열'일 것입니다. 33년의 마지막 날 사원들에게 보낸 편지의 핵심도 이 '치열'이었습니다. 치열하게 살았기에 부끄럽지 않았고 후회도 없고 행복하게 퇴임한다고 글을 썼습니다.

입사하고 처음 시작한 일은 기업의 업무가 잘 돌아가도록 정보 하이웨이를 구축하는 IT 분야였습니다. 일감이 많아서 야근이나 철야가 일상이었습니다. 1980년대 후반이었으니 지금의 주 52시간제와는 판이한 모습임에 틀림없습니다. 일 욕심 때문에 치열하게 산 것은 분명합니다. 하지만 생각해보면 그때는 누구나 열심히 살 수밖에 없었던 시절이었습니다. 입사 후 과장 진급하기 전까지 7년 정도는 밤 12시 전에 퇴근하는 일이 드물 정도로 '지옥의 레이스'를 했습니다. 어떻게 그 시절을 살았나 싶습니다. 그런데 지나고 보니 그 시절이 회사생활의 보약이 되었습니다.

그 이후 아무리 어려운 일을 만나도 무섭지 않았고 힘들어도 버틸 수 있었습니다. '지옥의 레이스' 때 만들어진 근육이 많은 것을 이겨낼 수 있도록 해 준 것이 아닌가 생각합니다. 더불어 어렵고 힘든 일을 만나면 이것이 나의 근육이 되고 나를 성장시켜 줄 거라 믿게 되었습니다. 그때부터는 일이 쉽고 편해졌습니다. 어제의 아픔이 오늘을 이기도록 했던 것입니다. 삶의 아이러니가 아닐 수 없습니다. 어찌 보면 이 글은 그렇게 근육을 만들면서 스스로 느끼고 깨달은 것을 정리한 이야기입니다. 특히 리더가 되고자 준비하는 사람들과 이제 막 리더가 된 사람들에게 도움이 되었으면 하는 바람입니다.

지금도 그렇지만 저는 노는 것을 좋아했습니다. 어릴 때 공부는 뒷전이었습니다. 재수, 삼수를 해서 겨우 대학에 들어갔습니다. 지금 생각하면 너무도 기가 찰 노릇이지만 고등학교 2학년 때 당구를 400점이나 쳤습니다. 아마 우리 동네뿐만 아니라 전국에서 손꼽을 실력이었을 것입니다. 그때부터 삶의 밑바닥에는 '즐겁고 재미있게 살자'가 좌우명처럼 깔려 있었던 것 같습니다. 일이 아무리 힘들더라도 '노는 것'과 언제나 같이했습니다. 많은 취미생활을 즐겼습니다. 놀랍게도 50대가 되니 잘 노는 것이 경쟁력이었고 저 자신에겐 삶의 활력소가 되어 있었습니다. 이 책에 나오는 '만화책' '골프' '커피' '보이차' 이야기는 제 취미생활의 백미입니다. 만화책은 일상에 지친 저를 새로운 세상으로의 데려다주는 탈출구였습니다. 골프는 쌓인 스트레스를 풀게 해주었고 자연을 만나게 해주었습니다. 커피나 보이차는 정적인 포근함을 선사해 준 취미들입니다. 제 삶에서 떼려야 뗄 수 없는 청량제입니다.

저는 대기업의 CEO를 역임한 뒤에 코칭경영원의 코치로 인생의 세컨드 스테이지를 보내고 있습니다. 갤럽 인증 강점 코치로

활동하면서 여러 고객을 만나 코칭을 하고 있지요. 코칭은 고객을 사랑하는 마음이 없으면 이루어지지 않습니다. 저를 찾는 고객들은 목적지에 가려다가 그만 물길에 가로막혀 주저하는 경우가 많습니다. 코칭은 이런 분들이 물길을 건널 수 있도록 도와주는 징검다리입니다.

고객을 징검다리로 건너게 해주려면 먼저 코치가 사랑하는 마음으로 손길을 내밀 수 있어야 합니다. 리더십도 마찬가지입니다. 과거에는 리더가 모든 것을 다 해야 하고, 동료나 부하를 끌고 가야 했습니다. 징검다리가 있는지 없는지조차 모르는 부하에게 무작정 건너라고 명령만 내릴 뿐이었습니다. 그러나 지금은 다릅니다. 마음으로 손길을 내미는 것, 물길의 어느 지점에 필요한 징검다리가 있는지 알려줘야 합니다. 상대방이 갖춘 강점을 충분히 발휘할 수 있도록 이끄는 역할이 리더십입니다.

상대방을 사랑하는 마음이 있어야 진정한 코칭이나 리더십이 가능하다는 것은 결국 상대방 중심으로 사고한다는 뜻입니다. 가만 생각해 보니 그동안 저는 제 위주로 살아온 인생이 아니었나 싶습니다. 코칭하면서 나보다 상대방을 중심에 두고 생각하고 고민하게 됐죠. 이렇게 상대방을 생각하며 코칭하면 대체로 피곤하게 마련인데 저는 오히려 반대입니다. 준비하는 과정이 아무리 힘들어도 제가 에너지를 얻는 느낌이 들곤 합니다.

코칭은 상대방의 단점을 찾아내 보완하는 것보다 강점을 진단

하고 그 강점을 더욱 강화하여 문제해결이나 목표 달성을 할 수 있도록 합니다. 그러다 보니 코칭뿐만 아니라 가족이나 주변 인간관계에서도 단점보다 강점을 먼저 찾게 되더군요. 리더십도 앞서 말했듯이 강점을 찾아내 이끄는 것이고요. 여러분도 주변의 단점을 찾아내려 하지 말고 충분히 공감하고 난 뒤에 강점을 발굴하는 습관을 갖췄으면 좋겠습니다. 그래야 모두가 행복해집니다.

취미생활, 리프레시, 코칭과 강점 발굴, 리더십 등 이 모든 이야기는 저의 지난 인생 궤적이기도 합니다. 대기업에서 CEO까지 했던 제가 뭔가 대단한 성과를 이야기하려는 게 아닙니다. 오랜 직장생활과 개인의 삶 등에서 소소하지만 하나씩 깨달은 것을 나누고자 이 책을 썼습니다. 삶의 깨달음은 나이나 경력과 상관없이 언제나 찾아옵니다. 지금 조직의 수장이나 CEO 혹은 고위급 임원으로 재직 중인 분들도 모든 것을 다 알고 깨달은 것은 아닐 것입니다. 여전히 문제에 가로막혀 돌파구를 찾거나 자신의 삶과 일에 대한 성찰을 끊임없이 하고 있으리라 봅니다. 그 성찰은 사람마다 제각각일 것입니다. 단 한 가지의 정답이 있는 게 아니지요. 그래서 저는 어떤 정답을 말하고자 하는 게 아닙니다. 각자의 성찰에 다다르는 길이 무엇인지 이야기하려고 합니다. 그 길을 가다 보면 저마다의 성찰을 이루리라 믿습니다.

그런데 이 모든 것이 가능하려면, 즉 성찰의 길에 들어서고 자기의 삶을 개척하려면 무엇보다 저지를 줄 알아야 합니다. 내가 하고 싶은 것, 하고자 하는 것을 마음속으로만 품고 있으면 말 그대로 죽도 밥도 안 됩니다. 저질러야 합니다. 일에만 파묻혀 있지 말고 문제에만 매몰되지 않고 자기의 길을 개척하기 위해서는 그것으로부터 헤어 나오려는 몸부림이 있어야 합니다. 그 몸부림이 바로 저지르는 것입니다. 그럴 때 비로소 인생은 행복해지고 즐거워집니다.

일과 개인의 삶을 아우르고 인생의 행복에 다다르는 길은 멀리 있지 않습니다. 지금 당장 저지르세요. 나만의 취미와 강점을 찾기 위한 여정을 떠나는 것입니다. 모쪼록 이 책이 성찰의 길을 걸어가는 동안 반딧불과 같은 동행이 되기를 바랍니다.

차례

1부

마음을
이끄는
리더

1장

강점으로 성장을 이끈다

1
작은 변화가 큰 변화를 가져온다

30여 년간 다니던 회사를 은퇴하고 세컨드 스테이지를 코치의 길로 들어선 지 벌써 5년이 지났습니다. 은퇴 후 새로운 업業을 받아들이는 것은 쉽지 않은 일입니다. 그런데 코칭을 배우고 또 코칭하는 일에 스스로 많은 보람을 느끼며 열심히 살고 있는 것은 어찌 보면 세컨드 스테이지의 축복임에 틀림없습니다. 회사 다닐 때 누구보다도 자신이 있었던 것은 뭔가에 대한 몰입이었습니다. 지난 5년간 코칭에 몰입한 것이 현재 코치인 저를 있게 해주었습니다. 그것은 저에게 다행스러움과 안도감을 느끼게 해줍니다. 특히 많은 배움과 성찰을 갖게 해준 멘토 코치님들에게 특별히 감사의 마음을 전합니다.

"그게 아니고!"에서 "그렇구나!"로 바꿔보자

코치가 된다는 것은 쉽지 않은 일입니다. 스스로가 먼저 성찰하고 자기관리를 하면서 성장하는 모습을 견지해야 합니다. 매일 잘못 길든 습관과 이별해야 하며 코치로서의 새로운 습관을 바로 세우기 위해 주간과 월간 자기 체크표를 만들어 수시로 점검해야 합니다. 그 과정에서 '쉽고 작은 변화가 가장 큰 변화를 가져온다.'라는 것을 몸소 느꼈습니다. "그렇군. 그렇구나!"를 항상 입에 달고 살았습니다. 무릇 대화의 출발은 상대방에 대한 '인정과 공감'인데 지난 30여 년간의 회사생활에서는 바쁘고 시간이 없다는 핑계로 그렇게 하지 못했다는 것이 뼈아팠습니다. 자기주장과 자기 확신이 앞서서 상대방이 말을 다 마치기도 전에 불쑥 "그게 아니고!"가 먼저 나온 것이 어디 한두 번이었겠습니까? 그래서 코칭 공부를 시작하고 제일 많이 되뇌었던 말이 "그렇군. 그렇구나."였습니다. 하루에도 몇 번 시간이 날 때마다 혼자서 옛일을 반성하며 "그렇군. 그렇구나."를 입에 익히기 위해 외치고 또 외쳤죠.

놀랍게도 이 작은 말 한마디가 가족들 분위기부터 싹 바꿔 버렸습니다. 특히 아내와의 대화가 엄청 쉽게 풀렸습니다. 예전에는 아내가 무슨 말을 하면 인정하거나 공감하는 것은 아예 뒷전이고 내 의견이나 생각부터 먼저 말을 해야 직성이 풀렸답니다.

그런데 "하하. 그렇군. 그렇구나!"를 먼저 말하기 시작한 것입니다. 그 이후로 아내에게 "코치가 되고 인간이 다 됐네. 이제 얘기가 좀 통하네."라는 말까지 듣게 되고 둘 간의 대화도 참 부드럽게 그리고 자주 하게 되었습니다. 아들과 딸의 얘기에도 귀를 열고 마음으로 듣게 되었으니 아무튼 코치가 되고 난 뒤 인간이 된 것임은 틀림없습니다.

비즈니스 코칭 현장에서도 이 말의 사용은 효과가 컸습니다. 코칭받는 사람인 피코치의 말을 좀 더 깊이 있게 듣게 되면서 코칭 대화가 잘 풀려나갔습니다. 또한 피코치의 변화에도 유용하게 적용할 수 있었습니다.

한번은 어느 대기업의 팀장을 맡고 있는 임원을 코칭하게 되었습니다. 그런데 그분의 맹점이 예전의 저처럼 자기주장이 엄청나게 센 것이었습니다. 인정과 공감에서 저의 변화 얘기를 해주면서 다음 2주 동안 모든 대화의 출발점을 "그렇군. 그렇구나!"로 하기로 했죠. 그리고 2주 후 다음 코칭 세션을 위해 다시 방문하게 되었습니다. 건물 1층에서 기다리고 있던 업무비서가 저를 안내하는데 "코치님, 우리 팀장이 바뀌었어요. 도대체 무슨 마법을 쓰신 거죠?"라고 말하는 것이 아닙니까? 5층 사무실로 올라가니 팀장의 직계 조직인 기획그룹장이 또다시 우리 팀장이 뭔지 모르지만 많이 바뀌었고 참 신기하다고 말했습니다.

단지 변화를 위한 실행과제로 "그게 아니고!"를 절대 쓰지 말고 "그렇군. 그렇구나!"를 많이 쓰자는 것뿐이었는데 말입니다.

그날 팀장은 저를 만나자마자 하소연을 했습니다.

"코치님, 저 죽는 줄 알았어요. 2주간 '그게 아니고'를 안 쓰는 데 너무너무 힘들었어요. 그래도 이를 악물고 한 번도 안 썼어요."

죽을 때까지 '진화'를 거듭해야 한다

쉽고 작은 변화가 큰 변화를 가져온다는 것을 몸소 현장에서 느끼는 순간이었습니다. 가끔 우리는 큰 변화를 위해서는 뭔가 심오한 행동 변화를 해야 더 나은 결과를 도출할 수 있다고 착각합니다. 큰 변화는 행동으로 옮기기가 쉽지 않음에도 말이죠.

아내는 이 작은 변화를 '인간 진화'라 부릅니다. 인간은 생존을 위해 끝없이 진화해 왔고 향후에도 진화를 거듭해야 합니다.

"은퇴 후 생존을 위해 당신도 진화하고 있는 것 같아."

아내는 저더러 이렇게 농담조로 말합니다. 그 말에 저는 이렇게 답합니다.

"그렇구나!"

2
강점에 주목하는 리더십을 갖춰라

세계적으로 유명한 참선가 아잔 브라흐마Ajahn Brahmavamso 스님이 겪은 일입니다. 아잔 브라흐마는 영국의 케임브리지 이론물리학과를 졸업하고 뜻한 바가 있어 불교에 귀의했는데요. 현재는 존경받는 명상 스승이자 통찰력 있는 법문으로 힘든 시기를 보내는 사람들에게 깊은 영감을 주고 있는 스님이죠. 스님이 수행승으로 지내면서 겪은 일화 중 인상 깊은 이야기가 있어 소개합니다. 태국의 아잔 차 스승과 왓농파농 숲속에서 처음 절을 지을 때 겪은 일이라고 합니다.

벽돌 두 장에 연연해할 필요가 없다

브라흐마 스님은 절터를 닦고 벽돌을 쌓아 절의 외관을 만들었습니다. 그때까지 한 번도 벽돌쌓기를 해본 적이 없었지만 브라흐마 스님은 혼신을 다해 벽을 쌓아 나갔습니다. 마침내 한쪽 벽면이 완성되었고 다 만들어진 벽을 보며 감탄하는 중이었습니다. 하지만 각도가 약간 어긋난 두 장의 벽돌이 눈에 거슬렸습니다. 그 벽돌 두 장이 벽 전체를 망치고 있었던 거죠. 다시 허물고 새로 시작하기엔 또 많은 시간과 노력이 필요했고 일정도 맞지 않았습니다. 그래서 어쩔 수 없이 그 못난 벽을 그대로 둔 채 절을 완성하고 방문객을 받았습니다. 브라흐마 스님은 되도록 그 벽이 보이지 않도록 신경을 곤두세우고 지냈다고 합니다.

"매우 아름다운 벽이군요."

어느 날 한 방문객과 함께 절을 거니는데 방문객이 그 벽을 보고 무심코 한 말입니다.

"두 장의 벽돌이 전체를 망쳐놓은 것은 안 보이시나요?"

의아하게 여긴 스님은 되물었죠. 그러자 방문객은 주저 없이 이렇게 말하더랍니다.

"물론 내 눈에도 두 장의 벽돌이 보이지만 더없이 훌륭하게 쌓아 올린 998장의 벽돌도 보입니다. 오히려 개성 있는 벽돌 두 장이 벽을 더욱 아름답게 만드는군요."

이 대답은 브라흐마 스님에게 자신은 물론이고 삶에 대해 근본적으로 시각을 바꾸는 계기가 되었다고 합니다. 그 후로 스님은 눈에 거슬린 벽돌 두 장 얘기를 많은 강연에서 했다고 합니다.

혹시 여러분들도 벽돌 두 장에 연연하고 계시지 않는가요? 스스로의 실수로 잘못 쌓아 올린 벽돌을 부끄러워하면서 숨기고 있지는 않은가요? 또한 내 부하와 내 조직 전체를 그러한 시각으로 바라보고 계시지는 않는지요? 두 장의 어긋난 벽돌이 있는 벽은 전혀 흉한 모습이 아니었습니다. 그 방문객이 말한 대로 '매우 아름다운 벽'이며 어쩌면 수많은 건축물의 특별한 점은 바로 최선을 다하는 실수에서 비롯된 것일지도 모릅니다.

나쁜 점을 보면 그 외의 좋은 점을 적어보자

존 록펠러가 석유회사 회장으로 있을 때 임원들의 잘못으로 회사가 큰 손실을 본 적이 있었습니다. 임원들은 록펠러가 불호령을 내릴 것이라고 걱정하며 안절부절못했죠. 그때 록펠러의 동업자인 A. C. 베드포드가 회장실을 찾아갔습니다. 록펠러는 책상에 앉아 무언가를 열심히 적고 있었다고 합니다.

"아, 베드포드 어서 오게. 이번에 우리가 입은 엄청난 손실을 자네도 잘 알고 알겠지?"

베드포드는 알고 있기에 말없이 고개를 끄덕였습니다. 그러자 록펠러는 이번 일에 책임 있는 임원들과 이야기를 나누기 전에 몇 가지 사항을 정리했다며 뭔가를 적은 종이를 건넸습니다.

그 종이에는 그 일에 책임을 져야 할 임원들의 이름과 그들이 회사에 공헌한 일들이 나란히 적혀 있었습니다. 임원들이 회사에 입힌 손실보다 그동안 세운 공헌이 더 크다는 의미였죠. 훗날 베드포드는 당시의 일을 이렇게 회고했습니다.

"그때의 교훈을 잊지 못합니다. 누군가에게 화낼 일이 있으면 책상에 앉아 그의 좋은 점을 가능한 한 많이 적습니다. 그러다 보면 화가 조금씩 누그러지고 호의가 생기게 되지요. 그 습관 덕분에 사람들에게 함부로 대하지 않고, 한순간의 잘못된 판단으로 유능한 사람을 잃는 실수도 저지르지 않았습니다."

누군가를 미워하기 전에 그의 단점만 바라보는 건 아닌지 생각해 보는 건 어떨까요. 상대방의 진가는 그의 다른 면, 즉 좋은 면을 바라볼 때 더 많이 드러나는 것이 아닐까요?

제가 갤럽의 공식 인증 강점 코치가 되고 난 뒤였습니다. 예전에 함께 근무하던 후배들의 요청에 부응해서 갤럽의 글로벌 진단 툴인 강점 진단을 받게 하고 그 진단 결과에 따라 꽤 많은 후배를 코칭한 적이 있습니다. 물론 후배들을 코칭하기 전에 코칭의 효율과 신뢰성을 높이기 위해 사전에 그들의 강점 진단 결과를 읽어보고 연구해서 코칭했습니다. 그런데 그 자료를 읽어볼 때 너무나 자주 자괴감에 빠지곤 했죠. 예전에는 제가 부하들을 잘 안다고 자부했는데 실은 그들의 강점을 명확하고 깊이 있게 알지 못했던 것입니다. 오히려 강점보다는 약점에 주목하지는 않았는지 스스로 반성하는 시간이 되었습니다.

특히 한때 제 오른팔이라고 생각했던 정 부장은 저를 더욱 바보처럼 만들어버리고 말았습니다. 어떤 일이든 정확하고 확실하게 처리하는 문제해결사였지만 문제는 행동이 좀 느리고 생각이 많다는 것이었습니다. 그래서 급한 일이 생기면 그 굼뜬 행동이 약점이 되어 저에게 핀잔을 많이 듣곤 했죠. 그런데 이 친구의 강점 진단 결과를 보고 놀랐습니다. 철저한 분석력을 바탕으로 이유와 근원을 밝혀낼 뿐만 아니라 수면 아래 문제점을 잘 파악하는 심사숙고가 강점으로 나오는 게 아닙니까? 정 부장의 굼뜬 행동도 따지고 보면 급한 제 성격으로 바라본 착시였습니다. 행동이 느리다는 단점만 주목한 탓이었죠. 그 친구는 일이 생기면 많은 분석과 심사숙고를 통해 일의 본질을 꿰뚫고 하나씩 하나씩 해결해 나갔던 것입니다.

제가 코칭한 후배들은 일상에서 제가 잘 인지하지 못했던 강점들을 다들 가지고 있었습니다. 그들은 저마다 성장과 성과에 필요한 각자의 강점으로 진지하게 업무를 하고 있었다는 것을 그제야 알게 됐던 것입니다.

혹시 여러분은 후배에게 이런 말을 한 적은 없는가요?

"자네는 말이야. 다른 건 다 좋은데 이거 하나만 고치면 참 좋을 텐데."

솔직히 저는 이런 말을 많이 했습니다. 부하들을 위하는 마음
으로, 혹은 그들의 모자란 부분을 고쳐주고 싶은 생각으로 그랬
던 거겠지요. 지금 돌이켜 보면 그들의 강점보다 약점에 주목해
서 리더십을 발휘한 것이지요. 툭 튀어나온 벽돌 두 장을 더 많
이 본 것입니다. 그들의 본연이 가지고 있는 그 무엇. 그들이 제
일 자신 있고 능숙한 그것. 성공의 길로 쉽게 갈 수 있는 그 강
점들을 편하게 발휘할 수 있도록 좀 더 이해하고 발전시키는 것
에 모자람이 많았던 것입니다.

벽돌 두 장에 연연할 필요는 없습니다. 누구든 약점은 있는
법입니다. 여러분은 어느 쪽을 선택하시겠습니까? 잘 쌓아 올린
998장의 벽돌을 보는 훈련을 하면 어떨까요?

3
옳은 말 하는 것보다 귀를 열어라

어느 모회사의 여성 사업부장을 코칭할 때였습니다. 바로 몇 달 전 승진을 해서 사업부장이 되었는데요. 요즘 업무만 생각하면 밥맛이 없다고 하소연을 했습니다. 사업부장의 고민은 이런 내용이었습니다. 자기 사업부는 수주 비즈니스를 하는 부서이고 수주하고 나면 개발을 담당하는 사업부에서 개발 총괄 프로젝트 매니저PM나 중간 리더급인 프로젝트 리더PL를 파견해줘야 하는데 그 개발 사업부와 사이가 좋지 않아 엄청나게 고생하고 있다는 것이었습니다. 몇 건의 수주는 개발 사업부에서 인력을 파견해 주지 않아 어쩔 수 없이 외주 인원을 활용할 수밖에 없었고 그러다 보니 개발비용 상승은 물론이고 프로젝트 관리가 부실해져서 현재의 사업에 심각한 문제가 되고 있다고 했습니다. 이쯤 되면 단지 개인적인 갈등을 넘어 조직에 해를 끼치는 상황까지 이르게 된 것입니다. 두 사업부장이 대표이사 앞에서도 각자가 나름대로 정당한 논리를 펴며 티격태격 싸웠지만 결론을 내지 못했다고 합니다.

이 여성 사업부장의 논리는 명쾌했습니다. 자기가 사업을 수주해 오면 당연히 개발 부서에서는 개발에 대한 역할을 다 해줘야 하는 것이 서로의 역할 권한Role과 책임Responsibility에 합당하다는 얘기입니다. 하지만 개발 부서는 개발 부서대로 할 말이 많았습니다. 지금 개발 업무가 폭주해서 도저히 인력을 줄 수도 없다는 것입니다. 특히 지금 수주해 온 프로젝트는 회사에서 주력으로 밀고 있는 핵심 업무가 아니라서 더더욱 도와줄 수 없다는 것입니다. 이런 상태에서 사업부장직을 계속 수행하다가는 병이 날지도 모른다고 하소연했습니다. 그렇게 원하고 누구나 부러워하는 사업부장으로 승진을 했건만 자리가 가진 중압감이 너무 커서 이겨낼 수 있을까 하는 의구심도 든다고 했습니다. 그러면서 코치에게 이 난제를 어떻게 풀면 되는지 좀 도와달라고 하는 것이었죠.

'똑똑함'을 증명하지 말고 '따뜻함'을 보여라

신임 사업부장의 아픔은 충분히 이해됐습니다. 회사에서 높은 자리에 올라가면 갈수록 관련 부서와의 협업은 더 커지게 마련입니다. 그러므로 관련된 부서와의 협조를 얼마나 잘 얻어내느냐가 높은 자리를 지켜나갈 수 있는 중요 능력이 됩니다. 그런데 우리가 살아갈 때 간과하는 것이 하나 있습니다. 이성적이고 논리 정연하게 옳은 말을 하면 옆에서 척척 잘 도와주리라는 착각 말입니다. 옳은 말을 하는 사람 때문에 얼마나 많은 사람이 죽어 나갔는지를 아시는지요? 몰라서 못 하는 것이 아닙니다. 못할 수밖에 없는 다른 사정이 있어서 그런 것입니다.

사실 이런 사연은 대기업 임원들을 코칭할 때 자주 듣습니다. 일 잘하고 똑똑하며 능력 있는 임원이 구성원들에 대한 리더십 발휘나 조직관리가 잘 안 되어서 애로사항을 종종 호소합니다. 왜일까요? 사람을 움직이려면 그의 마음을 열어야 합니다. 마음을 열려면 이쪽에서 먼저 귀를 열어야 하죠. 사람들은 옳은 말을 하는 사람보다 자신에게 귀를 열고 이해해주는 사람을 더 좋아합니다.

코칭할 때 임원들에게 이런 질문을 합니다. 당신은 '똑똑한 사람'과 '따뜻한 사람' 중에 어떤 사람이 되고 싶으냐고. 대다수는 똑똑한 사람이라고 대답합니다. 그러면 다시 물어봅니다. 당신 상사는 어떤 사람이길 바라느냐고요. 한참 후에 답이 돌아옵니다. '따뜻한 사람'이라고요. 또 묻습니다. 왜 당신은 따뜻한 상사를 원하느냐고. 따뜻한 상사가 자기를 격려해 주고 이해해주기 때문에 일을 훨씬 주도적으로 열심히 할 수 있고 당연히 성과도 좋을 거라고 하더군요. '아, 그렇군요.' 하면서 다시 물어봅니다. 그럼 당신은 어떤 리더가 되고 싶으냐고. 놀랍지 않은가요? 너무도 간단한 질문들인데 엄청난 인사이트가 있습니다.

사람들의 얼굴을 쳐다볼 때 즉각적인 판단을 가능케 하는 인식 및 신경 체계를 연구해온 알렉스 토도로프Alexander Todorov 교수에 따르면 사람들은 '똑똑함'보다 '따뜻함'을 더 빨리 포착한다고 합니다. 그래서 '똑똑함'을 증명하는 것보다 '따뜻함'을 먼저 보여야 한다고 강조합니다.

먼저 호감을 보이면 호감을 얻게 된다

여성 사업부장한테 물었습니다. 이 상황은 누가 더 힘드냐고 말이죠. 당연히 자기라고 하더군요. 그럼 누가 먼저 다가가야 하냐고, 누가 먼저 문을 열어야 하냐고 다시 물었습니다. 그제야 머리를 끄덕입니다. 자기가 먼저 나서야 한다고 수긍한 것이죠. 그런데 당황한 듯 질문을 합니다.

"내가 그 사업부장을 먼저 이해하고, 내가 먼저 문을 열어야 하는 것은 알겠습니다. 그런데 그 사람에게 어떻게 문을 두드리면 되죠?"

"그 사람의 호감을 사면 되지요."

"아니, 그 사람의 호감을 어떻게 사는가요?"

"답답한 당신이 문을 먼저 열 듯 당신이 먼저 그 사람에게 호감을 느끼면 되지요. 하하."

"네?"

먼저 그 사업부장이 좋아하는 것, 취미생활, 최근에 관심이 있는 것 등등 사전 조사를 충분히 하라고 조언해줬습니다. 그러고 난 뒤 업무로 회사에서 만나지 말고 그냥 편하게 저녁 자리를 가져라, 그 자리에서 일 이야기는 절대 하지 말고 그냥 그 사람에게 관심만 보여라, 그렇게 편한 자리를 가져라 등등 그것이 지금 할 일이라고 덧붙였습니다.

2주가 지난 뒤 다음 코칭 때였습니다. 상기된 얼굴로 반갑게 나를 맞이하며 그 여성 사업부장이 말하더군요.

"코치님, 놀라운 일이 일어났어요. 오늘 대표이사 앞에서 새로운 프로젝트를 보고했는데 그 사업부장이 전격으로 나를 도와줬어요. 아주 일 잘하는 PM을 파견시켜 주겠다고요. 더욱이 그 PM의 원가는 자기 사업부가 부담하겠다고 했어요."

"대표이사께서 신기한 듯 둘이서 무슨 일이 있었어? 하고 물어서 둘이서 그냥 웃었어요."

"이제 살 것 같아요. 회사생활 이렇게 재미있는데 말이죠. 호호. 그 사람하고 저녁을 먹으면서 4시간이나 이야기를 했어요. 터놓고 얘기해 보니 서로 취미가 비슷하고, 회사를 위하는 마음도 비슷하더라고요."

코치인 나는 솔직히 고백합니다. 코치가 되기 전까지는 온통 옳은 말만 날리는 '멍청이'였다고요. 코치가 되고 난 뒤, 어느 책에서 '옳은 말을 하는 사람 때문에 얼마나 많은 사람이 죽어 나갔는지를 아는가?'라는 글을 읽고 충격에 빠졌습니다. '그렇구나. 나 홀로 똑똑이였구나.'라는 반성과 후회가 몰려왔습니다. 더불어 이젠 주변 사람들을 이해하는 따뜻한 사람이 되어야겠다고 결심하게 되었습니다.

4
본질에 충실하면 모든 게 가능하다

우연히 스타트업 CEO 10명 남짓을 코칭할 기회가 있었습니다. 물론 1회차로 마친 것이 아니라 적어도 5회차에서 길게는 10회차를 넘어 몇몇 분은 지금도 코칭을 진행하고 있습니다. 코치들은 보통 1회차를 1시간 정도 진행하는데 저는 욕심이 많아서인지 꼭 1시간 반을 채웁니다. 특히나 스타트업 CEO들은 생존이 절실한데다가 간절한 마음이 모두 다 목까지 차올라 있어서 1시간 반도 모자랄 판이었습니다.

리더의 행동 하나하나에 명운이 달렸다

스타트업 CEO 코칭은 업종이 다양해서 코칭 주제도 각양각색이었습니다. 말 그대로 십인십색이었습니다. 회사의 생존이나

비전에 관한 이야기만큼이나 개인의 사생활에 대한 주제도 많았습니다. 나아가 대기업 출신인 제가 당연하게 생각했던 회사의 조직체계 구축이라든가, 경영 프로세스 구축에 대한 현실적 고민과 갈망도 크다는 걸 알게 되었습니다.

스타트업 여성 CEO를 코칭할 때였습니다. 처음 만났을 때 생기발랄하고 재능이 뛰어난 분이라는 것을 한눈에 알 수 있었습니다. 전년도의 매출이 획기적으로 성장했고 영업이익도 좋아져서 6개월 전에 COO(운영총괄 임원)를 영입했다고 했습니다. 그리고 온라인 비즈니스의 핵심인 마케팅 팀장도 새롭게 스카우트해서 직접 하기보다는 전문 마케팅 회사를 활용해 진행하고 있었습니다. 회사의 경영 프로세스를 나름 구축한 것이죠. 그런데 6개월 정도 지나는 시점부터 매출도 떨어지고 영업이익도 심각한 수준에 도달해서 걱정이 많다고 털어놓았습니다.

얘기를 더 깊이 있게 나눠보니 여성 CEO는 당시 한 달 정도 안식월을 사용하고 있었습니다. 그녀의 삶에서 가장 큰 부담은 다섯 살짜리 아들에 대한 미안함이었습니다. 회사 일 때문에 태어난 지 얼마 되지 않아 어린이집에 맡겨야만 했고 지금까지 그 아들에게 엄마다운 노릇을 못했다고 하더군요. 그래서 안식월을 통해 아들과 더 많은 시간을 가지며 사랑을 주었고 가정도 어느 정도 제 자리를 찾았다고 환한 얼굴로 말하더군요. 하지만 이제는 거꾸로 회사가 문제가 되고 만 것입니다.

여성 CEO는 10명 정도의 직원을 이끌어 가야 하는 수장으로서의 부담감, 아들에게 사랑을 나누어 주고 싶은 엄마로서의 부담감, 그리고 남편 대신 가정의 수입과 미래를 감당해야 하는 가장으로서의 부담감이 서로 맞물려 있었습니다. 그 어느 것도 양보할 수 없는 것들이었지만 그즈음 그녀에게 제일 절실한 것은 회사가 예전처럼 잘 돌아가는 것이었습니다. 그녀는 중요한 몇 가지를 간과하고 있었습니다.

첫 번째는 CEO가 해야 할 제일 중요한 일을 새로 영입한 COO에게 맡긴 것입니다. 또한 회사 성장의 견인차 구실을 해 온 마케팅 업무를 자신이 하지 않고 새로운 팀장에게 맡긴 것도 불찰이었습니다. 마케팅 업무는 매일 바뀌는 시장 상황을 적기에 반영하여 고객들과 커뮤니케이션해야 하는 성가시고 손이 많이 가는 일이기에 이제는 좀 쉬고 싶다는 생각에 욕심을 부린 것이죠. 그간 열심히 폭주 열차처럼 달려왔기에 지쳐 있다는 것은 충분히 이해되었습니다. 하지만 스타트업의 경우 회사의 명운이 바로 CEO의 행동 하나하나에 달려 있다는 것은 너무나 명확한 사실입니다. 더구나 아직 회사가 충분히 성장하지 못했음에도 불구하고 회사의 경영 프로세스를 성급하게 구축하겠다는 생각도 회사의 역성장에 한몫했던 셈이죠. 회사를 똑바로 건사하지 못하면 당연히 가정에 영향을 미치고 아들에게 향하는 사랑도 빛이 바랠 것이 눈에 선했습니다. 얘기를 충분히 듣고 난 뒤 질문을 던졌습니다.

- 지금 제일 절실한 것이 무엇인가요?
- 당신이 제일 잘해온 일은 무엇인가요?
- 무엇이 나를 나답게 해주는 것인가요?
- 당신은 어떤 CEO인가요?
- CEO의 역할은 무엇이라고 생각하나요?

그날 코칭을 마치면서 자신이 너무 안일하게 회사를 운영했다는 성찰과 함께 다시 회사에 뛰어들겠다는 다짐을 받았습니다. CEO로서 자신의 본질에 더욱 충실하겠다는 얘기였습니다.

경영이란 매일매일 목숨 건 싸움이다

그로부터 한두 달이 지나고 그간 몇 번의 코칭이 더 진행된 시점이었습니다.

"코치님, 오늘 우리 맛있는 거 먹으러 가요. 이번 달 영업이익이 플러스로 돌아섰어요. 제가 맛있는 거 사드릴게요!"

얘기를 들으니 COO를 해임하고 어렵게 스카우트한 마케팅 팀장도 해고했다고 하더군요. 조직 운영과 마케팅은 둘 다 자신이 해야 할 일 중에서 제일 중요한 일이란 것을 깨달았고 그것을 실행에 옮겼다고 말했습니다. 다섯 살 아들은 남편이 적극적으로 육아를 담당키로 서로 얘기를 나누었고 가정도 꽤 제 자리를 잡았다고 활짝 웃더군요.

스타트업 CEO들을 코칭하면서 제가 느낀 것을 한마디로 말하면 "스타트업 CEO들은 용감하고 위대하다."라는 것입니다. 저 역시도 CEO 출신이지만 저와 같은 월급쟁이 사장과는 확연하게 달랐습니다. 한순간의 잘못된 생각이 회사에 지대한 영향을 미치기 때문에 어찌 보면 경영이란 매일매일 목숨 건 싸움인지도 모릅니다. 더구나 자기 혼자만이 아니라 많은 직원과 그 가족들 생계까지 책임져야 하므로 그 부담감은 상상을 초월합니다. 10명 남짓한 CEO들과의 코칭은 다이내믹하면서 재미있는 시간이었습니다. 코치인 제가 오히려 많이 성장한 시간이었습니다.

5
자기다운 삶을 원한다면 강점에 집중하라

여러분은 재능이 무엇이라고 생각하십니까? 타고나는 능력? 남들보다 잘하는 그 무엇?

『강점 혁명』의 저자 마커스 버킹엄은 '사고, 감정, 행동의 반복되는 패턴'을 재능이라 말했습니다. 좀 더 풀어서 얘기하면 누구나 가지고 있는 직관적인 행동 방식을 말하는 것으로 자연스럽게 생각하고 느끼고 행동하는 반복적인 패턴입니다. 이러한 패턴이 자신의 재능일 가능성이 매우 크며 자신의 재능을 발견하고 인지해서 발전시키면 최고의 성과를 낼 수 있습니다. 그럼, 여러분 강점은 또 무엇일까요? 그리고 여러분은 자신의 강점이 무엇인지 알고 있나요?

자기만의 재능을 찾고 강점이 되도록 이끌어야 한다

50년 전 미국 갤럽은 굉장히 중요한 실험을 했습니다. 네브래스카 대학생 1,000명을 대상으로 3년 이상 진행한 실험이었습니다. 책을 빨리 읽는 어휘력 테스트였습니다. 1분간 과연 몇 자를 인지하느냐는 테스트인데 읽는 속도가 일반적인 학생 그룹은 1분에 90자를 인지했습니다. 이에 비해 읽는 속도가 평균 이상인 학생들, 즉 어휘력에 재능이 있는 그룹은 1분에 350자를 인지했습니다.

연구진은 테스트 이후에 본격적으로 실험에 들어갔습니다. 이 두 그룹을 똑같은 시간에 똑같은 방법으로 빨리 읽는 훈련을 시켰습니다. 평균 그룹은 1분에 150자까지 읽어냈습니다. 재능이 있는 그룹은 몇 자까지 읽어냈을까요? 결과는 진짜 놀랍습니다. 2,900자까지 읽어냈습니다. 평균 그룹이 1.7배가량 능력이 향상된 것에 비해 재능 그룹은 8.3배 향상된 것입니다. 그런데 여기서 하나 주목할 것이 있습니다. 재능 그룹을 다음에 다시 테스트한다면 어떻게 될까요? 당연하겠지요. 또 비슷한 성과가 나올 것입니다. 강점은 바로 이런 것입니다. 언제나 최상의 성과를 낼 수 있도록 재능이 계발된 것이지요. 완벽에 가까운 성과를 지속적으로 내는 능력이 바로 강점입니다.

저는 사람들의 재능을 찾아주고 그것이 강점이 되도록 이끌어주는 코치입니다. 저는 강점 코칭을 할 때 세 가지 파트로 진행합니다. 첫 번째 파트는 당연히 자신의 재능을 찾고 이해하고 받아들이는 작업을 중심으로 이루어집니다. 두 번째는 자신의 재능을 강화시키고 극대화해서 강점으로 이르게 하고, 더불어 강점이 너무 지나쳐 발생하는 맹점에 대해 주의하는 내용을 진행합니다. 그리고 마지막에는 자신의 여러 강점(갤럽의 진단 리포트 기준 톱 5 강점)을 가장 적절히 사람들에게 설명할 수 있도록 자신만의 강점 문구를 만드는 일입니다. 이 부분이 강점 코치인 제가 특이하게 진행하는 저만의 프로세스이지요. 즉 '강점으로 본 나는 누구인가? 어떤 리더인가?'를 표현하는 것입니다.

저는 이 마지막 파트가 향후 자신의 강점을 사람들에게 어필할 수 있는 마케팅 포인트라 생각하고 코칭 완료 후 숙제로 드립니다. 저에게 70~80점짜리 강점 문구를 보내오면 강점 전문가로서의 많은 경험을 바탕으로 최종적으로 수정작업을 같이 해서 완성해 줍니다. 예를 하나 들어볼까요.

'기발한 발상으로 인생의 파도를 즐기는 서퍼/ 고객과 직원과 주변을 밝히는 행복한 동행자/ 다 함께 긍정적인 에너지로 최고를 향해 가는 열정 CEO'

이렇게 한 사람의 강점 문구를 세 가지 문장으로 완성해 내는 거지요. 한 문장으로 표현하기에는 각자가 가진 톱 5 강점이 복합적이고 여러 강점을 내포하고 있기 때문에 세 가지로 만들었습니다.

강점에 집중하면 자기다운 삶을 살 수 있다

아주 성실하고 에지edge 있으며 책임감이 넘치는 여성 스타트업 CEO를 코칭할 때였습니다. 제가 이름을 대면 많은 분이 아실 것으로 생각되는 음식과 요리 관련 파워블로거입니다. 1회차에 강점 코칭을 하고 난 뒤 강점 문구 세 가지를 숙제로 드렸습니다. '탁월함을 끌어내는 반짝이는 공감 리더 / 신뢰하는 정성스럽고 참되고 성실한 문○○ / 일관성 있게 쭉쭉, 활활 타오르는 열정 소녀' 이런 답이 왔습니다. 그런데 누가 봐도 파워블로거인데 그 말이 없었습니다. 그래서 저는 열정 소녀 대신 파워블로거로 바꾸면 어떻겠냐고 제안했습니다. 본인이 평생 짊어지고 가야 할 과업이니까요.

장문의 답이 왔습니다. 한때 파워블로거라는 말이 좋지 않게 기사화된 적이 있다, 그래서 개인적으로 이 말을 극도로 싫어한다, 사람들이 파워블로거란 말만 꺼내어도 손사래 칠 정도이다, 내가 좋아하는 일을 하면서 오랜 세월을 살아왔는데 이제는 그만두고 싶은 심정이다, 등등. 그 이유는 한둘이 아니었습니다. 그 스타트업 CEO가 처한 상황이 어떤지 충분히 이해할 수 있는 얘기들이었습니다. 그럼에도 불구하고 파워블로거란 용어는 자신을 대변하는 말이므로 정면 돌파 겸 과감하게 나를 내세우는 것이 어떻겠느냐고 제안을 했지만 적당한 해결책을 못 찾고 2회차 코칭에 들어갔습니다.

2회차 코칭 때 진짜 많은 이야기가 오갔습니다. 그 CEO의 역린을 제가 건드린 탓에 그간 힘들고 아팠던 내면의 깊은 얘기들이 술술 흘러나왔습니다. 그렇게 코칭을 진행하다가 우연히 멋진 단어가 생각났습니다. 파워블로거를 바꿀 단어 말이죠. '인플루언서'를 찾았습니다. 이 단어를 찾고 나서 그분은 눈빛이 바뀌었습니다. 지금 자신이 억지로 하고 있던 일의 무거움을 훌훌 털어버리고 이 일을 새롭게 시작하겠다는 열의가 타올랐습니다. 뭐랄까 사람이 바뀐 것 같았습니다. 단어 하나 바꿨을 뿐인데 말입니다. 세 가지 강점 문구도 더 멋지게 손질했습니다. 강점을 베이스로 자신의 일에 대한 철학과 방향성까지 담았습니다.

'행복 선물하는 진정성 있는 인플루언서 / 탁월함을 끌어내는 반짝이는 공감 리더 / 열정 활활 일관성 쭉쭉 성실한 문OO'

어떻습니까? 에지 있지 않습니까? 저는 강점 코칭에 많은 보람을 느낍니다. 재능을 찾아주고 강점을 인식하게 해서 보다 강점에 집중하게 하는 것은 바로 자기다운 삶을 살게 해주는 것이지요. 저는 카톡 자기 소개란에 강점 문구 세 가지를 올려놓고 항상 저 자신을 마케팅합니다. 행복을 나누는 '찐 멘토' / 무엇이든 OK '놀이와 즐김의 극강' / 호기심 천국 '열정 아이콘'. 더불어 어디 새로운 모임에 가면 저의 강점 문구 세 가지로 자신을 소개합니다. 아주 심플하면서도 강렬하게 저를 어필할 수 있기 때문입니다.

6
다이내믹한 세상에서
다이너마이트처럼 빛나라

　저는 한국장학재단에서 주관하는 '사회 리더 대학생 멘토링' 프로그램을 5년간 지속해 오고 있습니다. 매해 3월 말부터 11월 말까지 8개월간 대학생 6~8명 정도를 맡아 멘토링을 합니다. 8개월간 10회 정도 다 같이 모여 제가 만든 여러 가지 프로그램을 소화합니다.

　'자신의 가치관 및 자기 사명서'를 작성한다든지, '자신의 꿈과 버킷리스트'를 만듭니다. '대학생활을 어떻게 하면 잘할 수 있을까?'라는 주제로 발표와 토론도 합니다. 때로는 제가 대표이사로 있었던 '멀티캠퍼스' 방문도 하고 '세리CEO' 조찬세미나에도 참여해서 CEO들이 끊임없이 배우는 모습을 볼 기회를 제공하기도 합니다.

내적 동기부여를 갖는 것이 중요하다

멘토링 프로그램 2년 차 진행이 마무리될 무렵이었습니다. 그때까지 멘티들의 의사를 물어보지 않은 채 멘토인 제가 모든 것을 이끌다시피 진행했습니다. 멘티인 대학생들에게 조금이라도 더 많은 것을 나누어 주고자 하는 욕심이 앞섰던 것 같습니다. 나누어 주고자 하는 멘토와 받아들이는 멘티들과의 괴리가 생겼습니다. 멘토가 볼 때는 너무나 중요한 내용이고 반드시 습득해야 할 지식임에도 멘티들이 시큰둥해하더군요. 몰입하지 않고 있는 것이 확연히 느껴졌습니다. 말을 물가까지 데려갈 수는 있어도 물을 마시게 하는 것은 힘들다는 격언이 가슴에 와 닿았습니다.

멘토링 프로그램에 회의가 들었습니다. 멘티들은 과연 나라는 멘토를 원하는 걸까? 과연 내 프로그램은 그들에게 도움이 될까? 나는 멘토링에 소질이 없는 것일까? 생각보다 잘 안 따라오는 멘티들을 보면서 이런저런 고민을 했습니다. 다음 해부터는 멘토링을 하지 않는 것이 아까운 시간도 절약하고 멘토링 결과에 대한 나의 불만족을 없애는 일이라고 생각하기에 이르렀습니다.

그 무렵 최은혜(가명)로부터 연락이 왔습니다. 그녀는 '사회 리더 대학생 멘토링' 프로그램 첫해 멘토링을 받은 멘티입니다.

'사회 리더 대학생 멘토링 수기'에 공모를 했는데 대상을 받았다는 소식이었습니다. 모든 영광을 멘토님께 드린다는 장문의 글과 함께 말입니다.

A4 용지 4장 정도의 공모 수기였는데, 제목은 '다이내믹한 세상에서 다이너마이트처럼 빛나기'였습니다. 글을 다 읽을 때쯤 제 눈가에 눈물이 맺혀 있더군요. '아, 내가 멘토링을 그런대로 했구나! 고맙다! 그리고 축하한다!'라고 대상을 받은 멘티만이 아니라 나 자신에게도 축하를 보냈습니다. 그것을 계기로 지금까지 흔들리지 않고 대학생 멘토링을 지속하고 있습니다.

대상 받은 수기를 요약하면 이렇습니다.

사회 리더 대학생 멘토링을 만나기 전 나는 '다이너마이트'(그때 당시 빌보드 차트 1위를 차지한 BTS의 노래 제목)가 아니라 그저 '성냥'에 불과했다. 초등학교 2학년 때 아빠를 여의고 엄마와 단둘이 어려운 환경 속에서 살아가는 '정체되어 있는 청년'이었다. 한국장학재단에 장학금을 신청하면서 우연히 알게 된 멘토링 프로그램에 가입하게 되었고 요행히 면접을 통과해서 멘토링에 참여하게 되었다. 멘토님을 통해 갤럽의 강점 진단을 받고 일대일 강점코칭을 받았다. 나의 강점은 '사교성 / 커뮤니케이션 / 공감 / 긍정 / 개별화'였다. 그런데 '사람들과의 관계'에 최적화되어 있는 강점 조화는 처음 본다고 엄청난 칭찬을 들었다. 더불어 내가 사람들과 소통하는 사업을 한다면 무조건 나에게 투자를 해준다는 멘토님의 말을 듣고 눈물이 핑 돌았다. 물론 그간 다른 사람들한테 '잘한다'라는 칭찬은 많이 들었지만, '최고야, 너는 진짜 멋진 아이야! 너의 강점은 다른 사람들한테는 절대 없는 것이야!'라는 확신에 찬 칭찬은 처음 들었다.

그래서 비로소 나 자신을 다시 한번 바라보게 되었고, 사람들과 잘 지내는 것이 강점이란 사실에 놀랍고 기뻤다. 이 강점코칭을 통해 큰 자신감을 얻었고 그 이후 다양한 대외활동이나 봉사활동에 도전해서 '내가 먼저 다가가자.'라는 마음으로 열심히 참여하여 훌륭한 성공을 거두었다. 내 자신을 나약하고 작은 성냥이라고 생각했던 내가 이 멘토링을 통해 다이너마이트 같은 영향력을 가진 사회 리더가 될 수 있다는 자신감이 생겼고 또한 지금도 그 지향점을 향해 달려가고 있다.

누구에게 배우기보다 스스로 깨달아가자

이 글을 읽고 나서 '대학생 멘토링 프로그램'을 절대로 포기해서는 안 된다는 생각이 먼저 들었습니다. 그들은 많은 고민을 안고 있었고 그 고민을 해결하기 위해 나름 열심히 치열하게 살고 있었습니다. 더 나아가 '내가 동기부여만 잘해주면 그 이후는 멘티들이 알아서 잘할 것이다. 내가 무리하게 이끌지 말고 한 명 한 명 스스로가 주인공이 되게 해주자.'라는 성찰까지 이르게 되었습니다. 멘티를 위한 진정성이 멘토링 시간에 제대로 전달되고 있다는 확신도 갖게 되었습니다.

멘토링 방법도 더 효과적이고 멘티 중심으로 바꾸었습니다. 예전처럼 멘토가 강의하고 토론을 주도하기보다 멘토의 강의는 가급적이면 짧게 하고 멘티들이 각자 자신의 생각을 준비해 와서 발표하도록 합니다. 와서 배우는 것보다 스스로 깨달아 가는 것이 많도록 진행했습니다. 멘토와 멘티 간의 삶의 경험과 통찰력을 나누어 주는 멘토링도 필요하지만 멘티들끼리 같은 눈높이로 주제에 대해 서로 토론하면서 성찰하고 얻어가는 것도 많은 듯합니다. 한 명 한 명 뜯어보면 다들 빛나기 일보 직전의 다이너마이트인 것은 확실해 보입니다.

2장

가슴으로 조직을 이끈다

1
행복에 투자해야 기업이 성공한다

제가 새로운 조직의 CEO로 부임했을 때 얘기입니다. 그간 여러 조직을 맡아 성공으로 이끈 경험을 토대로 신임 CEO로서 '행복 경영'을 경영의 핵심 키워드로 잡고 전 사원들에게 야심차게 천명했습니다. 다들 반신반의했지만 그 결과는 놀라웠습니다. 3년간 평균 20퍼센트의 성장은 물론 조직문화가 활기차게 변했고 사원들의 근무 만족도도 엄청나게 향상되었습니다.

행복해야 몰입하고 성과를 낼 수 있다

저는 회사생활의 행복은 '자기가 하고 싶은 일을 할 때' 찾아온다고 생각합니다. 그런 철학을 가지고 회사생활을 해 왔습니다. 즉 자신이 맡은 일의 주인공이 될 때 진정한 몰입이 이루어지고 그래야 스스로의 만족과 기쁨이 만들어지는 성과와 결과가 나온다고 생각합니다. 저는 행복 경영의 키워드로 '자율과 그에 동반하는 주인의식'을 전 사원에게 분명히 전달했고 뭔가 주인의식을 가지고 새롭게 일에 도전하는 사람을 우대했습니다.

특히 "사고는 너희가 쳐라, 책임은 내가 진다."라는 CEO의 힘찬 지원이 사원들에게 활기를 불어넣어 수많은 프로젝트가 탄생했습니다. 덕분에 새로운 사업이나 서비스가 런칭되면서 사업의 규모가 점점 커졌고 많은 성장을 이루었습니다. 또한 사원들의 기를 살리기 위해 전 사원들과 매주 화, 목요일 두 차례에 걸쳐 'CEO와의 도시락 간담회'를 가지면서 사원들의 생생한 목소리를 경영에 반영하고, 부서별로 '와글와글' 티타임이나 회식을 권장했습니다. 이러한 '행복 경영' 덕분에 회사는 활기가 넘치고 사원들은 일에 대한 욕구가 커져만 갔죠.

주요한 고객이 저희 회사를 방문했을 때 일입니다. 미팅을 마친 후 엘리베이터를 타고 내려가는 중이었습니다. 점심시간이라 꽉 찬 엘리베이터였음에도 불구하고 사원들의 잡담으로 시끌벅적했습니다. CEO인 나로서는 손님을 모시기가 좀 부끄럽기도 해서 그중에서도 제일 시끄러운 사원에게 "신 과장, 지금 손님이 타고 계시니 좀 조용하게 내려가는 게 어때?"라고 말하자 그 친구가 하는 말이 걸작이었습니다.

"그 말씀 하시는 대표님이 더 시끄러운데요?"

그 말 한마디에 엘리베이터 안이 웃음바다로 변했습니다. 물론 한 방 맞은 저도 한바탕 웃고 말았죠. 고객과 점심을 하는데 그 고객이 갑자기 "일 잘하는 회사라고 말로만 들었는데 진짜 엄청 좋은 회사네요. 다들 행복해 보여요. 그런 자유스러운 분위기가 사원들의 기를 살리는 것 같아요."라고 말씀을 해주시는 게 아닙니까. 지나고 보니 그 시절이 제 회사생활의 최고 정점이 아니었는가 싶습니다. 최고경영층의 행복 경영 키워드가 사원들을 즐겁게 일하는 분위기를 만들어 주었고, 그 활기가 서로를 북돋우면서 동기부여가 되어 궁극적으로 회사의 성장을 끌어가는 선순환이 된 것임이 틀림없습니다.

'행복 경영'이 경영자의 핵심 키워드다

행복 경영을 위한 경영자의 역할은 무엇일까요? 이제 경영자 모두가 고민해야 하는 과제입니다. 경영자는 새로운 시대에 맞는 행복 경영 방식을 만들어야 합니다. 어쩌면 경영자 자신의 가치관과 철학이 깃든 자신만의 행복 경영을 추진하는 것도 의미 있는 일이 아닐까 싶습니다. 특히 4차 산업혁명의 진전과 MZ세대가 기업의 주축으로 바뀌어 감에 따라 구성원의 행복에 투자하는 것이 이제 '기업의 성장'을 위한 최선의 방법이 되었다고 해도 과언이 아닙니다.

돌이켜 보면, 직장인들에게 1960~1970년대는 '경제적 요인'이 가장 중요한 동기부여 요인이었습니다. 그 당시 월급 수준이 직장 선택에서 가장 중요한 의사결정 기준이었다는 것은 부인할 수 없는 사실입니다. 1980~90년대를 거치면서 '성장 가능성'이 중요한 기준이 되었고 1990년대 말부터 2000년대 중반까지는 '직장의 안정성'이 주요한 요인이었습니다. 이제는 '사람 중심' '개인 행복'으로 키워드가 달라지고 있습니다.

특히 최근에 SK그룹 최태원 회장이 그룹 확대 경영 회의에서 경영 화두로 '행복'을 꼽은 것은 눈여겨볼 만합니다. 지속 가능한 기업이 되기 위해서는 구성원들의 행복이 전제되어야 합니다. 최 회장은 SK그룹의 평가와 보상 기준을 '얼마나 수익을 냈느냐'가 아닌 '구성원 전체의 행복 기여도'를 기준으로 삼겠다고 했습니다.

구성원들이 행복해야 고객이 행복해질 수 있고 고객의 행복이 기업의 성장으로 이어지는 것은 당연지사입니다. 경영자가 이제라도 구성원들의 행복에 관심을 기울여야 함은 절체절명의 과업일 수밖에 없습니다. 행복 경영이란 키워드가 경영자의 핵심 키워드로 떠오르는 날을 기대해 봅니다. '행복 경영'은 이미 경영자의 핵심 키워드가 되었습니다.

2

팀은 한 사람에 흔들리지 않는다

30년 전쯤의 일입니다. 입사 6년 차인 대리 시절입니다. 20여 명 정도가 투입된 회사의 중요 IT 프로젝트의 책임자로서 막중한 중책을 맡아 눈코 뜰 새 없이 지내던 때였습니다. 아침에 출근해서 그날 퇴근하던 것이 불가능했던 시절 과장도 아닌 일개 대리가 그런 큰 프로젝트를 맡았는데 그 책임감과 중압감이 오죽했겠습니까. 난생처음 느껴보던 것이었습니다. 6개월이 넘는 프로젝트 기간에 회사에서 밤샘하는 일도 잦았고, 개인적인 일은 모두 관두고 몰입에 몰입을 더해갔죠. 온 몸을 던져 프로젝트에 임한 만큼 자부심도 컸습니다. 그 대형 프로젝트가 바로 자신인 양 자랑스러운 것은 당연지사였습니다. 그러다 보니 프로젝트 말미로 가면 갈수록 '내 능력을 증명하는 것이고 나의 실력을 자랑하는 것이자 바로 나의 것'으로 변해갔습니다.

회사 일은 개인이 아닌 조직으로 완성한다

그런데 개발 완료를 바로 눈앞에 두고 엄청난 일이 벌어졌습니다. 제가 S그룹 전체의 IT 전문가로 뽑혀 6개월간 일본으로 연수를 떠나게 된 것입니다. 그 연수는 IT 실무자이면 누구나 동경하던 것이었고 저 역시도 간절히 원하던 연수였습니다. 하지만 6개월이 넘는 기간 동안 피땀을 쏟아부은 프로젝트가 거의 완성 직전이었습니다. 내 실력과 노고를 만천하에 증명할 수 있는 절호의 기회였기에 그 소식을 듣고 처음에는 갈 수 없다고 손사래를 쳤습니다. 하지만 그룹의 전략실에서 다시 한번 거부할 수 없다는 지시가 내려왔고 어쩔 수 없이 연수를 가게 되었습니다. 6개월 동안 진행해 오던 프로젝트를 버리고 말입니다. 제 자식 같은 프로젝트의 완성을 눈앞에 두고 연수를 떠나면서 생각했습니다.

'그래, 두고 보자. 나 없이 이 프로젝트가 제대로 성공할 줄 아는 모양이지? 설사 그렇다 하더라도 완성해서 현업에 적용할 시점에는 온갖 문제들이 폭발할 거야. 그때는 내가 없으면 해결하기 힘들 걸. 당연하지. 얼마 안 가 내가 필요하다는 것을 알겠지.'

하지만 그 생각은 바보 같은 아집이었다는 것을 연수 현장인 일본에서 깨달았습니다. 남은 사람들의 협업으로 프로젝트는 잘 완성되었고 현업 적용 때도 여러 가지 문제점을 잘 해결하면서 큰 탈 없이 마무리됐습니다. '내가 없이도!' 말입니다. 엄청난 쇼크였습니다. 혼자서 '아니, 이럴 수가! 분명 그 프로젝트는 나의 것이고 내가 없이는 성공할 수 없는 작품인데 어째서?'라는 탄식을 되뇌고 되뇌었습니다.

이 경험은 저의 회사생활의 가치관을 새롭게 정립하고 훨씬 성장할 수 있는 계기가 되었습니다. '회사의 일은 한 개인의 능력으로 완성되는 것이 아니라 조직 전체가 하나의 시스템이 되어 완성해 나가는 것이다. 내가 맡은 일은 내 것이 아니다. 회사의 것이고, 공통의 것이고, 우리 모두의 것이다.'라는 것을 새삼 알게 됐죠. 더불어 깨달은 것은 이런 내용입니다. '내 업무가 언제 어떻게 바뀔지 모른다. 어떤 업무를 맡더라도 흔쾌히 수락하고 현재 내가 맡고 있는 업무는 언제든 인수인계가 될 수 있도록 잘 정리하고, 더 나아가 지금 맡은 업무를 남 부끄럽지 않을 만큼 깔끔하게 잘 진행해 놓자. 이것이 스마트하게 회사생활을 하는 법이다.'

회사 차원에서 보는 통찰의 눈을 가져라

그로부터 20여 년이 지난 팀장 시절이었습니다. 팀장이 된 지 얼마 지나지 않았고 패기 왕성한 팀장답게 많은 성과를 내고 있었으며 나름 신임팀장으로서 자부심을 가질 수 있었던 때였습니다. 그러던 어느 날이었습니다. 인사팀 팀장이 불쑥 찾아와서 난처한 얼굴을 하고는 '팀장님의 오른팔을 빼 줄 수 없느냐'고 말하는 게 아닙니까. 회사에서 처음으로 해외 지역전문가를 1년간 파견키로 했는데 최고 A급으로 뽑으라는 지시를 받았다는 것입니다. 일 잘하는 A급에게 기회를 주자는 취지였죠. 그래서 지금 이 팀의 최고 A급인 과장을 내어 달라는 것이었습니다. 이런 경우 일반적으로 어느 팀장이든 A급을 내어 주는 데 심사숙고합니다. 선뜻 답을 줄 리 만무합니다.

"오! 멋진 일입니다. 고맙습니다. 우리 과장을 선정해 주셔서."

제가 한 치의 망설임 없이 우리 팀 최고 A급을 데려가라고 대답했더니 오히려 놀란 쪽은 인사팀장이었습니다. 나중에 안 일이지만, 우리 팀 과장보다 더 적합한 친구가 있었는데 그쪽 팀장의 반대로 난항을 겪고 난 뒤 회사 내 후순위로 찾아온 것이 우리 팀이었습니다. 이래저래 인사팀장은 곤혹스러울 수밖에 없는 상황에서 저에게 부탁한 것이죠. 그는 이 팀에서도 다시 전투가 벌어지면 이젠 어쩌나 노심초사 어렵게 말은 뱉었는데 제가 너무 쉽게 오케이를 하니 당황할 수밖에요.

"이 팀의 최고 A급인데 괜찮겠습니까? 지금 그 친구가 맡은 일도 많은 것으로 아는데요?"

오히려 인사팀장이 우리 팀 일을 걱정해 주는 게 아닙니까. 저는 웃으면서 대답했습니다.

"A급은 또 키우면 되는 것입니다. 일은 조직 전체가 시스템이 되어 완성되는 것입니다. 걱정 없습니다. 한 사람에 흔들리는 팀은 진정한 팀이 아닙니다. 심지어 제가 빠져도 우리 팀은 잠깐 흔들릴지 몰라도 금방 일을 잘 해낼 것입니다."

그 일은 그렇게 마무리되었고 세월이 흘러 저는 사업부장으로 승진하면서 많은 사업을 총괄하게 되었습니다. 중요한 비즈니스가 해외사업이었는데 그 팀의 팀장이 바로 제가 수년 전 해외전문가로 승낙해 준 그 친구였습니다. 그간 해외에 나가 발전된 문물을 보고 와서 키가 더 커진 그 친구는 저를 반갑게 맞이해 주었고 예전 해외 지역전문가 시절 얘기를 즐겁게 들려줬습니다.

지금 생각해 보면 대리 시절 대형 프로젝트 완성을 포기해야 하는 아픔과 그에 따른 성찰 하나가 이후의 회사생활에 많은 도움이 되었고 덕분에 더 가치 있는 프로젝트를 많이 하게 되었습니다. 회사 일은 내 것이 아니고 더구나 나 자신의 영달을 위한 것이 아니라는 것을 깨닫게 해주었습니다. 회사 차원에서 통합적으로 바라보는 눈을 갖게 해주었습니다. 참 감사한 일이었죠.

3
그레이 영역의 일을 하는 사람이 인재다

회사 일을 하면서 가끔 '과연 이 일을 해야 하는가?'라는 의문을 가질 때가 있습니다. 그런 의문이 생기는 것은 가치판단의 기준이 모호하기 때문이지요. 그러면 그 판단기준이 무엇이냐는 것인데 바로 '회사'입니다. '개인의 그 무엇'이 아니라는 것입니다. 즉 '이 일은 과연 회사에 도움이 되는가?'라고 질문해봐야 합니다. 물론 그 일이 잘되었을 때 개인의 영달과 발전이 뒤따라오면 더욱 좋겠지만 최우선 판단기준은 '회사'라는 것이지요.

열과 성의를 다한다면 반드시 인정받는다

어떤 사안이 하나 있는데 그 일의 결과가 회사가 얻는 것보다 개인의 승진이나 개인적인 성과에 더 많이 치우쳐져 있다면 한

번 더 숙고해 볼 필요가 있습니다. 한편 하기 힘든 일이지만 그 일을 하게 되면 회사에 많은 도움이 된다면 반드시 해야 한다는 얘기입니다. 더 나아가 내가 아니면 누가 마땅히 할 사람이 없는 상황에서는 어떤 어려운 일이라도 서슴지 말고 행하는 것이 옳다는 말입니다.

실례를 들어보겠습니다. 어느 조직에서나 조직 내 일이든, 아니면 조직과 조직 간의 업무에 그레이 영역(회색지대)의 일이 존재합니다. 아직 우리의 업무 수준이 진짜 톱 레벨의 회사가 아닌 이상 직무의 범위가 명확하지 못하고, 그래서 업무에서의 역할과 책임R&R에 공백이 있게 마련입니다. 그럼 그 공백에 있는 일, 그레이 영역의 일은 과연 누가 해야 할까요? 어찌 보면 그러한 일은 반드시 어느 한 개인이 책임져야 할 일도 아니고, 더군다나 일의 결과에 대한 보상이 명확하지도 않은 것이지요. 그레이 영역의 일 속성이 잘하면 본전이고 잘못하면 본인이 다칠 수도 있는 일이 많습니다. 그래서 일반적으로는 그레이 영역의 일은 모두가 손사래를 치고 회피하려 합니다.

그런데 우연히 자신이 어떤 일을 하다가 그런 일이 눈에 띄었습니다. 내가 한다면 잘할 수 있는 일이지만 시간도 없을 뿐만 아니라 주변 여러 사람의 도움이 필요한 까다로운 일이라면 여러분은 어떻게 할 것입니까? 남들처럼 그냥 모르는 척 눈을 감고 그 일을 회피할 것입니까? 아니면 바보처럼 그 일을 내 일처럼 받아들이고 '최선을 다할Do My Best' 것입니까? 참 어려운 선택이 아닐 수 없습니다. 일에서 성과를 내면 다행이지만 그렇지 못해서 질책받는다면 여러분은 과연 그 일을 선택할 수 있을까요?

저에게 묻는다면, 저는 "그런 일일수록 맡아라."라고 대답을 할 것입니다. 오히려 내 일보다 열과 성을 다해 열심히 매진하라고 하겠습니다. 결과의 보상에 연연해하지 말고 일하라고 말입니다. 그런데 만약 내가 그 일을 열심히 하다가 일을 그르치고 말았다면, 주위에서 나를 조직에 해를 끼치는 사고뭉치라고 비난할까요? 여러분은 어떻게 생각하십니까? '괜히 내가 한다고 나섰네. 그냥 모른 체할 것을.' 하고 후회하실 겁니까? 천만의 말씀입니다. 주변에서 다 보고 있고 다 알고 있습니다. 그러고 보면 회사만큼 투명한 곳은 없습니다. 흡사 유리 상자에서 일하는 것과 같지요. 내가 무엇을 하는지 모두가 쳐다보고 있다고 해도 과언이 아닙니다.

내가 남을 판단하듯 남도 나를 판단한다

또 다른 사례를 한번 볼까요? 갓 입사한 신입사원에게 한번 물어봅니다. 같이 일하는 선배들이 어떠냐고 말이죠. 하나같이 선배들이 너무 좋고 친절하고 많이 가르쳐주고 맛있는 것도 많이 사주고 등등 좋은 말 일색입니다. 포장하려고 해서가 아니라 사실이 그러합니다. 한두 달 후에 또 물어봅니다. 그때는 어떤 선배가 특히 좋다, 많이 배울 수 있어서 너무 좋다, 라고 하지요. 반년이 지난 후에 또 물어보면 이번에는 좀 더 정확히 얘기합니다. 어떤 선배는 마음 씀씀이가 이러이러해서 좋고, 어떤 선배는 너무 자기 위주여서 별로 내키지 않는다는 둥 자기 부서의 선배들을 꽤 잘 파악해서 사실에 가깝게 대답합니다.

신입사원도 어느 정도 시간이 지나면 부서 내의 인물들에 대해 아주 잘 파악한다는 것을 알 수 있습니다. 요즈음 신입사원들은 다 똑똑하고 눈치가 백 단이라서 그런 것일까요? 인간은 알게 모르게 자기의 색깔, 즉 삶의 방식이 있습니다. 그리고 그 색깔을 누구라도 다 판별할 수 있는 능력을 갖추고 있습니다. 이제 막 일을 시작하고 인간관계를 맺기 시작한 신입사원들도 조금만 지나면 환하게 알 수 있는 일인데, 같이 근무하는 고참 선임들 정도 된다면 얼마나 많은 능력을 갖추고 있겠습니까? 어찌 보면 파트장과 팀장 정도만 되어도 구성원들의 일거수일투족을 속속들이 알고 있다고 보는 것이 훨씬 현실적이겠지요.

좀 전에 사례를 든 신입사원의 인물 파악처럼 내가 남을 판단하듯이 남도 나를 판단한다는 것, 즉 속속들이 나만의 행동을 알고 있다는 것을 깨닫는 것이 너무나 중요합니다. 나는 남을 판단하고 다 알고 있는데 정작 자기는 남이 모를 것으로 행동하는 것이 회사생활에서의 가장 큰 '패러독스'라 하겠습니다. 이 패러독스를 어느 날 문득 깨닫게 되면 잔머리를 굴리는 일은 하지 않을 겁니다. 회사 일은 머리가 아니라 가슴으로 하는 것입니다.

그렇습니다. 우리는 모두 유리 상자 안에서 일하고 있다고 해도 과언이 아닙니다. 주변 사람들은 다만 시간과 용기가 없어 말을 못했을 뿐이지 다 알고 있는 일입니다. 그래서 그레이 영역의 일을 열심히 하면 주변에서 '저 사람 참 괜찮은 사람이다. 자기 일도 아닌데, 저렇게 열심히 하는구나. 아, 그런데 일이 잘 안 풀려 그르쳤구나. 도와주자. 보호해 주자.' 이렇게 생각을 하는 것입니다. 더 나아가 다음에 그런 일이 또 벌어지면 이제는 적극적으로 도와줍니다. 그것이 우리의 삶이고 '인지상정'입니다. 그리고 그레이 영역의 일을 용기 내어 행한 사람이 바로 '일 잘하는 사람'입니다.

만약 여러분들이 리더라면 누구와 일을 같이하고 싶습니까?

4
머리로 일하지 말고 가슴으로 일하라

입사해서 과장이 되기 전까지는 보통 '머리로 일하는 사람'이 훨씬 현명하고 똑똑하며 사회생활을 성공한 것처럼 보입니다. 하지만 시간이 지날수록, 즉 과장, 차장, 부장으로 올라갈수록 협업Co-Work을 하는 일이 늘어납니다. 그래서 자기 일을 잘하는 똑똑한 사람보다 사회적 관계를 잘 맺는 따뜻한 사람이 유리합니다. 똑똑한 사람보다는 따뜻한 사람일수록 협업을 잘할 수 있는 환경이 만들어지니까 효율이 높아집니다. 궁극에는 따뜻한 휴먼 네트워크가 뛰어난 '가슴으로 일하는 사람'이 점점 주목을 받게 되는 것이지요.

일하다 보면 주변 동료가 "도와줘!"를 외칠 때가 종종 있습니다. 도와달라고 달려오곤 하죠. 그러나 달갑지 않습니다. '가뜩이나 나도 지금 바빠 죽겠는데……'라는 생각에 난처하기 그지없지요. 그럴 때 여러분들은 어떻게 하나요? 저는 여러분들에게 이렇게 권유하고 싶습니다. 밤을 새우더라도 도와주라고요.

기브 앤 테이크를 실천하는 사람이 성공한다

인간관계란 그런 것입니다. 기브 앤 테이크Give and Take, 주고받는 것입니다. '주고Give'가 먼저이고 그다음이 '받기Take'입니다. 내가 먼저 주게 되면 언젠가는 받습니다. 아니, 내가 받고 싶으면 먼저 줘야 합니다. 그것이 인간관계이고 어쩌면 먼저 줄 때 적게 주고 나중에 많이 받을지도 모를 일이지요.

이렇게 먼저 주는 사람이 '가슴이 따뜻한 사람'입니다. 지금 여러분 주변을 한번 둘러보세요. 생각보다 주변에는 가슴이 따뜻한 사람이 많습니다. 무엇이든 먼저 주려고 하는 것은 물론이고 좋은 성과에 대해서는 동료에게 공을 돌리고, 문제에 대해서는 기꺼이 책임을 떠안는 사람들이 있습니다. 또 부서의 궂은 일을 마다하지 않고 하면서 사적인 영광은 전혀 생각지 않고 헌신적으로 부서원들과 조직을 위해 일하는 사람들이 있습니다. 또한 후배들의 역량 강화를 위해 바쁜 자기 시간을 쪼개서 하나라도 더 가르쳐주려고 혼신의 노력을 기울이는 사람들도 꽤 있습니다.

리더의 입장에서 보면 누군가가 해야 할 일을 그 친구가 해 줬으니 참으로 든든한 동료이고 믿고 일을 맡길 수 있는 사람인 것입니다. 그래서 리더는 물론 주변에서 점점 더 그를 신뢰합니다. 그 사람의 업무 영역이 자꾸 넓어지는 것은 당연한 일이지요. 그뿐만 아니라 어려운 일을 많이 해봤으니 점점 더 일의 깊이가 생길 것입니다. 특히나 앞서 말씀드린 협업은 근무연수가 많으면 많을수록 늘어나게 되어 있습니다. 기브 앤 테이크를 실천하는 사람이 결국 조직에서 성공하게 되는 것은 당연한 귀결입니다.

부자가 되고 싶으면 먼저 베풀어야 한다

화제를 잠깐 회사에서 개인의 삶으로 돌려볼까요? 저는 회사의 일만이 아니라 인생에서도 이 기브 앤 테이크를 몸소 경험하고 언제나 그런 마음으로 살겠다고 다짐을 한 계기가 있습니다. 20년도 더 지난 얘기입니다. 어느 날 신문의 칼럼을 읽었는데 '부자가 되고 싶으면 먼저 베풀어야 한다.'라는 말이 제 가슴에 꽂혔습니다. 처음에는 도대체 이 말이 무슨 뜻일까 궁금했습니다. 몇 주가 지났는데도 '부자가 되고 싶으면 먼저 베풀어야 한다'는 말이 과연 맞는지 확신이 서지 않았습니다. 과연 그럴까? 하는 의문이 꼬리에 꼬리를 물었습니다. 이런 생각과 의문을 품고 있으니 세상의 모든 것이 이 의문과 연결되더군요. 책을 읽어도 이렇게 읽히고, 텔레비전을 봐도 이런 내용만 눈에 들어왔습니다. 신기한 일이었습니다.

몇 달간 이 명제에 매달렸습니다. 너무 부자가 되고 싶었으니까요. 시간이 지나면 지날수록 이 명제는 '거짓'이 아니라 '참'이라는 것을 부지불식간에 깨닫게 되었습니다. 그리고 어느 날 저는 어떤 결심을 하고 아내에게 이 내용을 얘기했습니다. 말도 안 되는 엄청난 제안을 했습니다. 우리 버는 돈의 10%를 사회에 기부하자고요. 부자가 되기 위해서는 이 방법이 가장 손쉬운 방법이라고 말이죠.

아내는 처음에는 '이 사람이 농담도 잘하네.'라는 얼굴로 쳐다보다가 제 표정을 보고 그 자리에서 눈물을 글썽였습니다. 사실 그 당시 애들은 중학교와 고등학교에 다니고 있었고 금전적 여유가 전혀 없던 시절이었습니다. 40대 중반을 바라보고 있었지만 집도 아직 전세였고 뭔가 갖춘 게 하나도 없었습니다. 커가는 것은 마이너스 통장뿐이었다고 해도 과언이 아닙니다. 그런데 남편의 얼굴을 보니 이미 결심을 굳힌 듯하고 '강제 베풂'을 피할 수 없을 것 같으니 억장이 무너져 내린 것이지요. 누군가에게 뭔가를 베풀 상황이 절대 아닌데 말이죠.

그 헤프닝 후 1주일이 지나고 아내가 조용히 저를 찾았습니

다. 저는 지금도 그날을 생각하면 눈물이 고입니다. 자기가 절
(선원)에 가서 1주일 내내 기도를 했는데 당신 뜻에 따르는 것
이 맞는다는 결론을 내렸답니다. 우리도 힘들지만 우리보다 더
힘든 사람을 위해 나누어 주며 살자고 말하더군요. 아내는 힘든
결심을 해주었습니다. 대단한 용단이고 멋진 아내입니다. 그 이
후로 제 월급의 10%를 사회에 환원하기 시작했습니다.

그런데 그 뒤의 얘기는 더 놀랍습니다. 한두 달 지났나요? 갑
자기 회사에서 급여를 30%가량 올려주는 것이 아닌가요? 웬
돈벼락인가 하고 의아해했죠. 알고 보니 회장님이 지인을 만났
는데, S그룹의 부장들은 계속된 하후상박으로 부장의 연봉이 적
다고 이야기를 들은 것이었습니다. 회장님은 그 얘길 듣고 곧바
로 시정하라는 지시를 내렸고 그 혜택이 갑자기 저에게 떨어진
것입니다. 그때부터 진짜 저는 부자가 되기 시작했습니다. 그 즉
시 마이너스 통장은 없어졌습니다. 그리고 회사에서 하는 일마
다 대박이 나고 인생은 승승장구했습니다. 상무도 특진했으며
전무도 특진했습니다. 전무 승진하는 그해 연말에 집도 하나 장
만했습니다.

어느 세미나에서 있었던 일입니다. 강사가 참석한 사람들에
게 풍선을 분 뒤 풍선에 자기 이름을 적으라고 했습니다. 그러
고는 모든 풍선을 골고루 섞은 뒤, 자기 이름이 적힌 풍선을 찾

으라고 주문했습니다. 사람들은 자신의 풍선을 찾느라 세미나 룸은 아수라장이 되고 말았습니다. 5분이나 흘렀지만 아무도 자신의 풍선을 찾지 못했습니다. 어떻게 하면 풍선을 쉽고 빠르게 찾을 수 있을까요?

강사가 이번에는 가까이 있는 풍선을 집어 거기에 적힌 이름을 보고 그 사람을 찾아가 주도록 했습니다. 그러자 채 1분도 지나지 않아 모든 사람이 자신의 풍선을 찾게 되었습니다. 어쩌면 우리네 삶은 이 풍선 찾기와 같을지 모릅니다. 모두가 필사적으로 행복을 찾아다니지만 그것은 어디 있는지 잘 모르지요. 다른 사람에게 풍선을 나누어 주듯 좋은 것을 찾아주고 나누어주십시오. 그러면 더 좋은 것들이 나에게 들어올 것입니다.

5
리더가 밑거름이 될 때 조직은 성장한다

세상에서 내가 제일 똑똑하다는 어리석은 신념을 가지고 있었던 부끄러운 시절의 얘기입니다. 제가 중견간부로서 처음 팀장이라는 보직을 맡아 일에 대한 욕심이 앞섰을 때였죠. 마침 신규 사업을 맡아서 끝없이 밀려드는 일을 처리하기 위해 주말도 잊고 일에 매진했습니다. 가끔 집에서 쉴 때도 머릿속으로는 일을 했으니까요. 급기야 1년이 지난 즈음에는 몸도 마음도 지쳐 탈진 상태에 이르고야 말았습니다. 이때 친한 선배 한 분이 보다 못해 충고하더군요.

"자네 말이야, 그러다가 과로사하고 말아. 팀장이 왜 혼자서 일을 다 하려고 그렇게 욕심을 내? 일은 부하들과 같이 해!"

저는 혼자서 일을 다 한다는 말에 둔기로 뒤통수를 맞은 것처럼 정신이 번쩍 들었습니다.

'그래, 맞아. 왜 나 혼자 일하려고 덤벼드는 거지? 팀원들과 같이해야 하는데. 이러다가 진짜 과로사하고 말지.'

그제야 저는 뼈아프게 반성했습니다. 13명이나 되는 팀을 처음 맡아서 욕심도 나고 더불어 강한 책임감이 어깨를 짓누르고 있었기에 부담이 더 컸던 것입니다.

팀원에게 일을 가르쳐주고 기다려라

'어떻게 하면 내가 직접 하던 것을 확 줄이고 부하들에게 일을 나누어줄 수 있을까?'

그런 고민을 하고 있을 무렵 저에게 인생의 전환점을 맞게 되는 사건이 하나 생겼습니다.

하루는 일을 일찍 마치고 퇴근하려고 하는데 바로 건너편 오 대리가 눈에 들어왔습니다. 그는 과장 진급을 앞두고 논문을 준비 중이었습니다.

"어이, 오 대리! 내일 제출할 논문은 다 썼지? 내가 조언해준 대로 잘 썼어?"

"네, 다 썼습니다!"

오 대리는 자신 있는 목소리로 대답했습니다. 그 당시 S그룹은 과장으로 진급하려면 입사 후 근무하면서 자신이 담당한 업무에 대해 논문을 한 편 쓰고 심사를 받아야만 승진할 수 있었습니다. 저 역시도 그 전에 과장으로 진급할 때 어렵게 논문이 통과된 적이 있어서 그때 오 대리가 겪고 있는 고충이 얼마나 고된 것인지 이심전심으로 느꼈죠. 그래서일까요. 퇴근하던 발걸음을 멈추고 오 대리를 바라봤습니다. 그날 오 대리 말을 듣고 그냥 퇴근했으면 아마 오늘날의 제가 없을지도 모릅니다. 인생의 결정적 순간이 있다면 그런 순간이 아닐까 합니다.

저는 밖으로 향하던 발걸음을 잠깐 멈추고 "오 대리, 그 논문 잠깐 볼까?"라며 그를 불러 세웠습니다. 자리에 앉지도 않고 선 채로 훑어본 논문은 한 마디로 가관이었습니다. 기승전결이 전혀 맞지 않았고 도대체 왜 이 논문을 썼는지 알 수가 없었습니다. 그동안 몇 번이고 핵심 내용에 대해 조언을 했건만 별로 반영되지도 않았습니다. 화가 많이 났지만 꾹 눌렀습니다. 화를 내기보다 오 대리 손을 잡고 저녁을 먹고 다시 회사로 돌아왔습니다.

그날 밤 둘이서 열띤 토론을 거쳐 논문의 방향을 재설정하고, 각자 역할을 분담해서 온 힘을 다해 논문을 수정했습니다. 다음 날 오전 8시까지 제출해야 했기 때문에 시간이 촉박했죠. 드디어 논문 수정을 다 끝내고 시계를 보니 아침 7시였습니다. 꼬박 12시간을 정신없이 달려온 것입니다. 다행히 논문은 통과되었고 오 대리는 과장으로 진급했습니다. 사실 오 대리는 팀원 중

C급에 속하는 인물이었습니다. 그간의 역량이나 성과평가가 좋지 않아 다들 이번에 과장 승진은 어려우리라 생각했는데 경사가 난 것입니다.

승진 발표가 있던 날 팀원 전원이 축하 회식하러 갔습니다. 그날 모두 기쁜 마음에 술을 마구 마셨죠. 폭탄주가 몇 순배 돌고 난 즈음에 약간 술 취한 오 대리가 자리를 박차고 일어나 저에게 경례하는 것이 아닙니까? 그런데 자세히 보니 그는 울고 있었습니다.

"충성, 팀장님! 앞으로 제가 회사에 근무하는 한 팀장님께 충성을 다하겠습니다. 절대 배신하지 않겠습니다."

그는 큰소리로 홀이 떠나갈 듯 외쳤습니다. 눈물을 줄줄 흘리면서 이렇게 말하는 것이었습니다.

"태어나서 아직 한 번도 팀장님 같은 분을 뵌 적이 없습니다. 내 일을 가족이나 친구보다 더 열심히 도와주고 이끌어 주신 분은 팀장님뿐입니다. 저는 그날 철야를 하면서 엄청나게 감동했습니다. 세상에 이런 분이 다 있을 줄이야 하고요."

옆 테이블에서 재미있다고 웃는 소리도 들려오고 저 역시도 부끄러워서 억지로 그 순간을 진정시켰습니다. 13명의 회식은 그렇게 엉망진창에다가 흥청망청 마쳤습니다. 하지만 변화는 저부터 시작되었습니다. 집으로 돌아오는 길에 술은 취했지만 머리는 또렷해지더군요. 뭔가 둔기로 머리를 맞은 듯했습니다. 그간 팀장으로서, 리더로서 혼란했던 일하는 방식에 밝은 빛이 보이는 것 같았습니다.

'아하, 팀원들의 성장을 도와주면 팀원들에게 존경받을 수 있구나.'

'내가 급하게 욕심을 내서 일을 치고 나갈 것이 아니라 일을 가르쳐 주면서 같이하면 훨씬 효과가 크겠구나.'

팀원의 발전을 위해 제가 노력하는 만큼 팀원들이 성장하고 또한 팀 전체의 역량도 향상되고, 나아가 제 리더십도 향상되는 것임을 깨닫게 되었습니다. 어찌 보면 이 사건은 실로 작은 일이었지만 제 인생에서는 큰 변화를 가져온 사건이었던 셈이죠. 저의 잘못된 신념을 버리고 부하를 위해 밑거름이 되어 주는 것이 조직의 힘을 키우고 다 함께 더 큰 성과를 낼 수 있다는 당연한 사실을 그제야 깨닫게 되었습니다.

드디어 제가 일하는 방식에 대한 결론을 내렸습니다.

'부하들을 가르치자!'

그 뒤부터 일이 발생하면 적임자를 불러 일을 위임하고 일일이 가르치고 임파워링을 했습니다. 제가 직접 하는 것을 줄이고 가르치고 맡겼습니다. 절대 쉬운 일은 아니었습니다. 제가 하면 서너 시간 만에 마칠 일을 팀원에게 맡기니 이삼 일 걸렸습니다. 팀장과 팀원의 지식과 역량 차이가 곳곳에 나타났습니다. 가르치고 맡기는 것이 어려웠지만 이를 악물고 지켜나갔습니다. 그 6개월이 제 인생에서 가장 힘든 시절인 듯합니다. 제가 직접 하면 빨리할 수 있는 일을 부하들에게 맡기고 기다린다는 것이 진짜 어려운 일이었거든요. 우스갯소리지만 아마 그때 제 몸에 사리가 많이 쌓였을 겁니다. 그 기간을 이겨내고 나니 개인만이 아니라 팀 전체의 파워가 올라갔고 팀원들과의 소통도 잘돼 무적의 팀이 됐습니다. 그해의 목표를 초과 달성한 것은 당연한 귀결이었고요.

팀의 능력은 팀원들 능력의 합이다

한번은 팀의 중요한 사업을 두고 다른 회사와 치열한 수주전이 벌어진 적이 있습니다. 저와 팀원 몇 명이 밤샘해서 프레젠테이션 자료를 만들었습니다. 그런데 그 사업을 주도하던 실무자가 본인이 직접 프레젠테이션하겠다고 나섰습니다. 워낙 큰 사업이라 누가 봐도 분명 팀장이 직접 프레젠테이션하는 것이 당연했습니다. 하지만 그 실무자는 자기가 잘할 자신이 있다고 주장하더군요. 비록 그동안 규모는 작지만 비슷한 사업을 고객 앞에서 몇 번 프레젠테이션해본 적이 있으니 믿어달라고 했습니다. 난감하더군요. 무작정 거절하기도 그렇고 선뜻 응하려니

선례도 없던 일이라 결정하기가 쉽지 않았습니다. 고민을 거듭하던 저는 결국 다음과 같은 결론을 내렸습니다.

'그래 좋다. 믿고 맡기자. 우리 팀은 나 혼자만 있는 것이 아니다. 팀원들이 다 같이 고생해서 만든 자료이다. 또 이 기회를 통해 저 친구를 한번 키워보자.'

저는 용단을 내리고 과감히 프레젠테이션을 그에게 맡겼습니다. 당일 그 실무자의 프레젠테이션은 훌륭했습니다. 아니, 저보다 훨씬 잘했습니다. 진짜 잘한 양보였고, 결국 수주를 따고야 말았습니다.

그 당시 몇몇 사건을 통해 '내 능력은 부하들 능력의 합이다.'라는 엄청난 깨달음을 얻었습니다. 그뿐만 아닙니다. '내 능력을 키우고 싶으면 부하들 능력을 키워야 한다.'라는 보편적 진리를 몸소 체득하게 됐죠. 그 깨달음은 향후 나를 최고경영자가 되게 하는 원동력이 된 건 물론이고요.

6
성공한 기업의 토대는 '사람'이다

고객사를 방문해서 긴 줄다리기 협상을 한 영업사원은 매우 지쳐 있었습니다. 그러나 이제 계약서의 사인만 남겨 두고 있었던 터라 그래도 결과가 좋으니 다행이라고 생각하며 안도의 한숨을 내쉬었죠. 고객사의 간부가 계약서에 사인하려던 순간 바로 옆 임원 방에서 고객사 간부를 부르는 소리가 들렸습니다.

그는 상사의 급한 호출에 부랴부랴 결재서류를 챙겨서 임원 방으로 들어갔습니다. 그런데 육두문자를 포함해 꾸중하는 험한 소리가 들리고 아주 난리가 났습니다. 영업사원은 기가 막혔습니다. 딱 1분 만이라도 여유가 있었더라면 계약서 사인을 받고 즐겁게 회사로 복귀할 수 있었는데 하는 생각에 발만 동동 굴렀습니다. '아, 오늘 계약은 글렀구나.' 하는 생각에 고개를 떨

구고 있는데 그 간부가 자리로 돌아왔습니다. 그런데 표정을 보니 웃고 있는 게 아닙니까? 의아한 영업사원은 물었습니다.

리더는 팀원의 성장과 발전을 지원해야 한다

"괜찮으신가요? 저런 임원분과 같이 근무하려면 참 힘들겠어요."
저는 걱정스럽게 물었습니다. 그런데 놀라운 답이 돌아왔습니다.

"저분 참 좋으신 분이에요. 가끔 화를 좀 내지만 뒤끝이 없고 믿고 맡겨주는 타입이에요. 본 건은 제가 지시를 잘못 이해해서 실수한 것이지요. 한 10분은 꾸중 들을 걸로 생각했는데 다행히 3분 만에 끝났어요. 우리 계약하기로 되어 있죠? 자, 사인합시다."

그 간부는 아무 일도 없었다는 듯이 계약서에 사인했습니다. 가끔 있는 일이고 그리 대수롭지 않은 일이라는 설명을 덧붙이면서요. 그 임원은 성격이 좀 급하고 화를 잘 내는 분이지만 부하를 위하는 마음이 대단하다는 것입니다. 부하의 성장과 발전을 위해 적극적으로 지원해 주는 것은 물론이고 평소에도 고충을 잘 들어주는데다가 언제나 호흡을 같이한다는 얘기였습니다.

흔히 재미있게 거론되는 리더의 4가지 유형이 있습니다. 똑부(똑똑하고 부지런한 리더), 똑게(똑똑하지만 게으른 리더), 멍부(멍청하고 부지런한 리더), 멍게(멍청하고 게으른 리더) 등입니다. 여러분은 어떤 리더인가요?

　최악의 리더는 당연히 '멍부'입니다. 멍청한데 부지런하면 자기 능력은 생각하지 않고 일을 벌이고 또 벌입니다. 이런 리더는 조직을 망가뜨리기 십상이죠. 그렇다면 성공한 많은 리더가 추천하는 최상의 리더는 누굴까요? '똑게'입니다. '똑부'가 아닙니다. 똑똑하게 일의 방향을 잡고 지시하고 난 뒤에 부하에게 일임하는 리더가 바로 '똑게'입니다. 임파워먼트의 모범이죠.

　그런데 많은 회사에서 빈번히 발생하는 일이 있습니다. 회사 내 위상이나 직함은 사장과 임원인데 실제 하는 일은 과장이나 대리인 경우입니다. 모든 일을 논리적이고 치밀하게 꼼꼼히 실무자가 할 일까지 완벽하게 해내는 사람들이죠. 이런 임원을 '빨간펜 대리'라고 부릅니다. 이들로 인해 조직은 동맥경화증에 걸리고 맙니다. 그 사람이 없으면 일은 올스톱됩니다. 그 사람의 허락이 없는 한 어떤 일도 시작할 수 없고 지시한 것과 다르게 일이 진행되다 조금만 그르치면 불호령과 함께 그 일의 책임까지 떠맡게 됩니다. 바로 임파워먼트의 실패이죠.

극단적인 통제는 조직의 에너지를 빼앗는다

극단적인 통제는 조직의 에너지를 빼앗습니다. 하지만 그 반대편인 무조건적인 방임 또한 조직의 활력을 떨어뜨립니다. 이것의 해결책이 바로 임파워먼트죠. 단순한 권한이양과는 다릅니다. 임파워먼트는 말 그대로 조직에 힘Power을 주는 것입니다. 리더가 자신의 잣대를 가지고 사람을 일정한 틀에 끼워 맞추려하는 것은 한계가 있습니다. 임파워먼트는 방향을 설정하고 일정한 가이드라인을 제시한 상태에서 나머지는 부하 직원에게 맡기는 것입니다.

임파워먼트를 잘하게 되면 리더에게 어떤 이점이 있을까요? 제가 생각하는 몇 가지 이점을 소개해 볼까 합니다. 먼저 시간 확보가 가능해집니다. 회사생활에서 리더에게 가장 귀한 자원은 바로 시간입니다. 직급이나 직책이 올라갈수록 시간 부족에 시달리죠. 어찌 보면 임파워먼트의 가장 큰 이유는 리더인 자신이 정말로 해야 할 일을 하기 위해서입니다. 하지 않아도 될 일, 부하가 할 수 있는 일, 더 나아가 파트너사가 더 잘하는 일은 과감하게 넘겨야 합니다.

시간 확보는 현명한 의사결정을 위해 꼭 필요합니다. 현명한 의사결정을 위해 리더는 혼자만의 시간을 가져야 합니다. 자기 성찰을 통해 자신을 돌아보고 공부도 하면서 적절한 휴식도 취해야 하죠. 바쁘지 않은 리더는 없습니다. 그러나 바쁜 일에 실무자처럼 빠져 있다면 큰 그림을 그릴 수 없습니다. 한걸음 물러나서 일을 다각도로 바라볼 때 현명한 의사결정을 내릴 수 있습니다.

또 다른 이점은 부하들에게 확실한 동기부여가 된다는 것입니다. 믿고 맡길 때 부하는 자신을 뒤돌아보고 스스로의 책임에 대해 주인의식을 가질 게 자명합니다. 자율성이 사람을 강하게 만들고 응집력 있는 조직을 만듭니다. 사람들은 자신이 결정할 수 있을 때 몰입하고, 책임도 기쁜 마음으로 지려고 하죠.

리더에게 임파워먼트는 회사생활의 시작이자 전부라고 해도 과언이 아닙니다. 과감한 임파워먼트를 통해 부하를 키우고 배울 기회를 제공해야 합니다. 만약 상사가 모든 일을 움켜쥐고 부하에게 자잘한 일만 준다면 부하직원은 성장하기 어려울 것입니다. 부하에게 맡겨서 실수할 기회도 주고, 더불어 그 실수를 통해 성장할 기회를 주는 것이 임파워먼트입니다.

에릭 슈미트의 『실리콘 벨리의 위대한 코치, 빌 캠벨』을 보면 임파워먼트에 대한 명쾌한 방향성이 나옵니다. 성공한 기업의 토대는 사람입니다. 모든 리더의 으뜸가는 책무는 사람들이 더 효율적으로 일을 할 수 있게 도와 성장하고 발전할 수 있도록 하는 것이라고 단호하게 말합니다. 리더는 이들을 '지원'하고 '존중'하며 '신뢰'하면서 일하고 성장할 수 있는 환경을 만들어 줘야 한다는 것이죠.

지원이란 사람들이 성공할 수 있도록 적절한 도구, 정보, 훈련과 코칭을 제공하는 것입니다. 다시 말해 사람들의 능력을 지속적으로 개발하려는 노력을 말합니다. 존중이란 사람들 각자가 가진 고유한 커리어의 목표를 이해하고, 그들이 삶에서 내리는 선택을 섬세하게 헤아리는 것입니다. 즉 회사의 필요에 부합하는 방향으로 사람들의 커리어 목표를 달성할 수 있게 도움을 주는 것을 의미하죠. 마지막으로 신뢰란 사람들이 자신의 일을 하고 의사결정을 내리는 데 자유를 주는 것입니다. 그들이 어떤 일이든 잘할 수 있고 잘할 것이라고 믿는 것을 뜻합니다. 즉 맡겼으면 믿으라는 것입니다.

어찌 보면 리더의 자리는 봉사직입니다. 구성원들의 성장과 발전을 돕는 봉사직에 있는 사람이 리더입니다. 만약 당신이 리더가 되었다면 스스로에게 물어봐야 합니다.

- 나는 어떤 유형의 리더인가?
- 나는 부하들을 믿고 맡기는가?
- 나는 진정으로 부하들을 위한 임파워먼트를 하고 있는가?

자, 이 질문에 과연 여러분은 어떤 대답을 내놓으실 건가요?

3장

저질러야 삶과 일이 풀린다

1

선택과 집중으로 저질러라

저는 어릴 때부터 놀기 좋아하는 사람이었습니다. 노는 것에 목숨을 걸었다고 할 정도로 노는 것을 좋아했고 노는 것에 정신이 없었습니다. 온갖 놀이는 다 섭렵해서 못 하는 것이 없을 정도였지요. 중학교 때 이미 고스톱과 포커는 거의 졸업할 수준이었으며 축구는 물론이고 야구, 농구, 배구 등도 또래 친구들보다 잘했습니다. 남들이 대학 가서 접하는 당구도 이미 고2 때 최정상 수준인 400점 정도를 쳤습니다. 놀기 위해 태어난 사람처럼 노는 걸 좋아했죠. 당연히 공부는 뒷전이었죠. 그러다 보니 제가 원하는 대학에 갈 수 없었습니다. 재수에 이어 삼수 끝에 겨우 대학에 붙었습니다. 그래도 20여 명 되는 동네 친구 중에 4년제 정규대학 간 사람은 저뿐이었습니다.

삶의 에너지를 '선택과 집중'해서 써야 한다

우리 동네에는 고만고만한 또래 친구들이 많았지만 공부에 재미를 붙인 친구는 없었습니다. 그런 놀기 좋은 환경에서 놀자 기질을 타고났으니 그런 삶에 뭐라 더 할 말이 있었겠습니까? 군대를 갔다 오고 난 뒤 정신을 차리고 공부에 미쳐서 그 수렁에서 빠져나오기까지 말 못 할 고초가 있었습니다. 하지만 오히려 놀기 좋아하는 성향 덕분에 제 삶이 훨씬 다이내믹해졌으니 삶의 아이러니입니다.

살면 살수록 잘 노는 것이 삶의 활력소가 되었으며 나아가 경쟁력의 원천이 되었다는 것은 제 인생 전체를 비추어 볼 때 명확한 사실임이 틀림없습니다. 지금 와서 생각해 보면 왜 그때 공부를 등한시하고 노는 것에 집중했는지 모르겠습니다. 한 가지 분명한 것은 노는 것이 훨씬 즐거웠기 때문 아닐까요.

'일을 잘하는 자知之者는 일을 좋아하는 자에게 이기지 못하고不如好之者, 일을 좋아하는 자好之者는 일을 즐기는 자에게 이기지 못한다不如樂之者.'

『논어』「옹야편」에 나오는 공자의 말씀으로 일을 즐겁고 재미있게 그래서 신명나게 하자는 의미입니다. 일을 아무리 잘하고 좋아한다고 해도 그 일 자체가 즐겁지 않으면 효율이 떨어지고, 즐기면서 스스로 신명나게 일하면 궁극적으로는 주인의식을 갖고 그 일의 주인공이 될 수 있다는 것입니다. 자, 이쯤에서 여러분에게 우리 인생의 큰 명제를 하나 던져보겠습니다.

"어떻게 하면 매일 신명나게 일할 수 있을까요?"

신명의 원천은 에너지입니다. 에너지는 개개인에 따라 많은 차이가 있습니다. 결정적인 것은 에너지는 유한하다는 것입니다. 따라서 효율적으로 에너지를 쓰는 것은 중요하며 그렇게 하기 위해 필연적으로 '선택과 집중'을 해야 합니다. 여기에서 선택은 여러분이 할 수도 있고, 여러분의 회사나 조직이 할 수도 있습니다. 여러분들이 직접 선택을 할 수 있는 업무가 있다면 좋은 일이지만 선택의 상당 부분은 외부의 상황에 맞춰 결정되는 경우가 많습니다. 그래서 우리에게 더 필요한 것은 선택보다 선택된 일을 어떻게 집중력 있게 처리할 것이냐입니다.

집중력이 있다는 것은 쉽게 말해 빨리 쌈박하게 일을 마무리 짓는 능력을 말합니다. 우리는 어떻게 하면 집중력을 높일 수 있을까요? 다음과 같이 질문을 바꿔보겠습니다. 지금까지 살면서 과연 우리는 언제 가장 집중력을 발휘했을까요? 혹시 학창 시절 기억이 나시나요? 아, 그렇지요. 공부할 때, 특히 기말고사를 앞두고 밤샘 공부할 때 엄청나게 집중했지요. 하지만 그때보다 훨씬 집중한 시간이 분명 있습니다. 시험시간이지요. 아무리 공부를 등한시했어도 시험시간에는 집중해서 문제를 풀었습니다. 한 문제라도 더 빨리 잘 풀어야 했기 때문이죠. 그때는 아무런 잡생각이 나질 않습니다. 이 시험시간만큼은 진짜 머리가 텅 빈 듯이 시험에만 몰두하게 되지요.

그런데 가만히 생각해 보면 시험시간보다 더 집중할 때가 있습니다. 과연 어느 때일까요? 진짜 우리가 온몸을 바쳐 집중할 때요. 바로 시험을 치고 난 뒤 다음 시험시간까지의 쉬는 시간입니다. 10분. 이 시간은 진짜 피가 튀고 머리엔 불이 붙습니다. 화장실에 가는 것도 까맣게 잊은 채 10분 동안 다음 시험의 책 한 권을 다 뗍니다. 슈퍼맨이지요. 머릿속의 CPU가 엄청난 속도로 돌아갈 때입니다. 아마 항상 이렇게 공부할 수만 있으면 SKY대는 물론 박사학위까지 떼 놓은 당상이겠지요. 하지만 우리는 알고 있습니다. 매일 매시간 이렇게 살 수 없다는 것을. 우리는 슈퍼맨이 아니니까요. 만약 매시간 이렇게 집중해서 산다면 엄청난 속도로 돌아가는 뇌에 과부하가 걸려 얼마 안가 번아웃되고 말겠죠.

앞에서 살펴봤듯이 집중력과 에너지는 불가분의 관계입니다. 따라서 내가 필요한 시점에 필요한 만큼 적절히 에너지를 사용하는 것이 삶의 지혜입니다. 무엇보다 삶의 에너지가 부족할 때 채워넣는 것이 중요합니다. 우리는 또 집중해야 할 일과 맞닥뜨릴 수밖에 없으니까요. 여러분은 에너지가 부족하다고 느낄 때 어떻게 보충하고 있습니까? 개개인이 가진 에너지의 크기는 각자 삶에 대한 열망이어서 많고 적음에 우열을 가린다는 것은 가치가 없는 일이지만 모자라는 에너지를 다시 채워 넣는 것은 굉장히 중요한 일이지요.

리프레시로 삶의 에너지를 충전해야 한다

삶의 에너지를 핸드폰 배터리 충전하듯이 필요할 때 충전하는 방법은 없을까요? 여러분은 어떻게 충전하시나요? 저는 누구보다도 쉽게 충전하는 방법을 가지고 있습니다. 적절한 리프레시가 바로 그것입니다. 우리 삶에서 리프레시는 에너지를 보충하기 위해 너무나 필요합니다. 리프레시란 일상의 힘든 모든 것을 잊고 그냥 자신이 좋아하는 일에 몰입하게 되면 저절로 이루어지는 것입니다. 그렇습니다. 쉽게 말해 자신이 하고 싶은 취미생활을 즐기면 되는 거지요.

저는 여기에서 여러분들에게 삶의 중요한 질문을 하나 던지고 싶습니다. 왜 사느냐고? 아니면 왜 태어났느냐고? 본질적인 질문이지만 쉽게 답을 하는 사람을 별로 보지 못했습니다. 본질적이고 철학적인 질문이지요. 누가 저에게 물으면 다음과 같이 서슴없이 대답할 것입니다. "내가 하고 싶은 것 하려고 태어났다."라고.

그렇습니다. "하고 싶은 것을 하는 즐거움에 산다."라고 대답하겠습니다. 여러분들이 하고 싶었던 것은 무엇입니까? 그간 먹고살기 바빠서 그럴 경황이 없었다고 하면 그럼 과거는 접어두죠. 그렇다면 지금 하고 싶은 것은 없습니까? 먹고사는 일 외에 무엇을 하고 싶은지 한 번 심각하게 자문해 보시기 바랍니다. 어찌 보면 그것이 바로 자기 자신의 버킷리스트인지도 모릅니다. 스스로에게 한 번쯤은 물어보십시오. 어릴 때 본인이 하고 싶었던 것, 성인이 되면서 하고 싶었던 것, 성인이 되고 나서 또한 하고 싶었던 것 등등. 그리고 과연 '나는 내가 하고 싶은 것을 하면서 즐겁고 재미있게 살고 있는가?'라고 진정으로 자기 자신에게 자문해 보십시오.

이 이야기는 영국에서 실제 있었던 일입니다. 어느 70이 넘은 할머니가 중국 여행을 계획하고는 그 나이에 생뚱맞게 중국어 공부를 시작했다고 합니다. 손자가 물었지요.

"할머니는 왜 중국어를 공부하세요?"

사실 이 질문의 의미는 '그 나이에 중국어 공부를 해서 뭐 하시게요?'라는 것이었죠. 저는 그 할머니의 답변을 '제 인생의 시금석'처럼 여기고 살고 있습니다. 뭔가 새로운 일을 시작하고 싶을 때면 반드시 이 답변을 떠올리고 화이팅하곤 합니다.

"내년에 하면 너무 늦을 것 같아서……."

마지막으로 여러분들에게 한마디만 더하겠습니다. 오늘 이 순간 하고 싶은 것이 있다면 망설이지 마시라.

"저질러라, 그러면 인생이 즐거워질 것이다!"

2
주는 것에 욕심을 내라

록펠러의 얘기입니다. 그는 43세에 미국 최대 부자가 되었고 53세에 세계 최대 갑부가 된 입지전적인 사람입니다. 하지만 그 많은 부를 가지고도 행복하지 않았다고 합니다. 그는 55세에 불치병에 걸려 1년 이상 살지 못한다는 청천벽력 같은 선고를 받았습니다.

나누고 베푸는 삶이 행복한 삶이다

어느 날 실의에 빠진 그가 검진을 받기 위해 병원 현관을 들어설 때였습니다. 로비에 있는 액자 하나가 그의 눈에 들어왔습니다.

'주는 것이 받는 것보다 더 행복하다It is more blessed to give than to receive.'

그 순간 그의 가슴에 이 문장이 와 박혔고 전율이 흘렀습니다.

그때 병원 로비 한쪽에서 시끄러운 소리가 들렸습니다. 입원비 문제로 다투는 소리였습니다. 병원 측은 병원비가 없어 입원이 안 된다고 하고 환자의 어머니는 입원시켜 달라고 울면서 사정을 하고 있었습니다. 록펠러는 곧 비서를 시켜 병원비를 지불하게 했습니다. 그리고 얼마 후 록펠러가 은밀히 도운 소녀는 기적적으로 회복했습니다. 그때의 기쁨을 록펠러는 그의 자서전에서 이렇게 표현하고 있습니다.

"저는 살면서 이렇게 행복한 삶이 있는지 몰랐습니다."

그때부터 그는 나눔의 삶, 베풂의 삶을 살기로 결심합니다. 신기하게도 그즈음 그의 병도 사라져버렸습니다. 그 뒤 그는 98세까지 살며 선한 일에 힘썼습니다. 인생 전반기 55년은 쫓기며 살았지만 후반기 43년은 행복하게 살았다고 회고했습니다.

'일'이 아닌 주는 것에 욕심을 내라

우리 주변에는 재능이 많고 일 잘하고 다방면에 뛰어난 리더는 많습니다. 하지만 대인관계가 원만한 사람은 많지 않습니다. 뛰어난 리더 중에서 사람을 대하는 태도, 행동, 말투 때문에 문제가 되는 경우도 종종 있습니다. 왜 그럴까요? 리더 자신의 색깔이 너무 짙어서 그런 것일까요? 아니면 자신이 너무 뛰어나니까 상대적으로 주변 사람들에 관한 생각이 얕아서 그럴까요?

저는 인간관계의 핵심도 기브 앤 테이크라고 생각합니다. 서로 주고받을 때 좋은 관계가 성립됩니다. 영어도 그렇고 우리말도 그렇습니다. 주고 난 뒤에 받는 것이라고. 받고 준다는 말은 없습니다. 우리의 언어 속에는 인간 생활의 지혜가 녹아 있습니다. 먼저 주게 되면 언젠가는 받는 법입니다. 아니, 내가 받고 싶으면 먼저 줘야 하는 것이 삶의 지혜인 것입니다. 많이 받고 싶으면 싶을수록 더 먼저 줘야 합니다. 그래야 받을 수 있습니다. 이것이 인지상정이지요.

제가 처음 회사에 입사하고 얼마 지나지 않아서의 일입니다. 하루는 입사 동기로부터 일을 좀 도와 달라는 요청이 왔습니다. 그때 저는 참 바빴지만 친한 동기의 요청을 뿌리칠 수 없었습니다. 그래서 제 일을 뒤로 미루고 그 친구의 일을 몇 시간 도와준 적이 있습니다. 일은 잘 마무리되었고 그 일은 이미 기억에서 지워져 버렸습니다. 그로부터 서너 달 후 제가 아주 중요한 일을 맡게 되었는데 일이 바쁘고 너무 많아 며칠 밤샘을 해야 할 지경이 되었습니다. 그런데 그 친구가 제가 처한 상황을 어떻게 알았는지 한달음에 달려와 같이 밤샘을 해주는 것이 아닌가요? 덕분에 급한 일은 잘 끝났고 그 친구에게 고맙다고 감사를 표했습니다.

"야, 동기야. 예전에 네가 먼저 도와줬잖아. 그때 너무 고마웠어."

이 말을 듣고 저는 깜짝 놀랐습니다. 그때 크게 도와준 것이 아닌데, 나랑 같이 밤샘을 같이해주면서 오히려 그때가 더 고마웠다고 하다니……. 머릿속에 많은 것이 스쳐 지나갔습니다. '그렇구나, 내가 주변 사람들을 먼저 도와주면 더 큰 도움을 받게 되는구나.' '내가 먼저 도와주는 것이 훨씬 좋은 인간관계를 맺게 되는 것이구나.'라는 깨달음이 왔습니다. '이제부터 동기들이 도와달라고 하면 내 일을 제쳐 놓고 밤을 새워서라도 도와줘야 겠구나.'라는 생각이 회사생활의 밑바닥에 자리를 잡았습니다. 그 덕분에 동기들과 주변 사람들의 도움으로 많은 가치 있는 일을 할 수 있었습니다. 그 모든 것은 결코 우연이 아니었을 것입니다.

전 세계 6,000만 부가 판매된 최고의 인간관계 바이블인 데일 카네기의 『인간관계론』에 보면 '사람들이 당신을 좋아하도록 만드는 6가지 방법'이 나옵니다. 그 첫 번째가 '다른 사람에게 진심으로 관심을 가져라'입니다. 이것이 바로 리더인 당신을 좋아하도록 만들기 위해서는 '먼저 관심을 주라'는 것이지요.

리더는 일에 대해 욕심이 많은 사람입니다. 그 욕심이 리더의 자리에 오르도록 만들었기 때문입니다. 당신은 일에 대한 욕심이 많습니까? 그렇다면 '주는 것'에 욕심을 내는 리더가 되어야 하지 않을까요?

3
일보다 중요한 게 사람이다

많은 CEO가 리더십의 요체, 즉 인간관계의 핵심을 얘기할 때 '진정성'이라고 답하는 것을 자주 봅니다. 저 역시도 리더가 갖추어야 할 제일의 품성이 '진정성'이라고 생각합니다. 그런데 어떻게 해야 진정성 있는 리더가 될 수 있을까요?

진정성을 가지고 대하는 것이 최우선이다

저는 리더십을 이야기할 때 종종 반려견 이야기부터 시작합니다. 리더십을 얘기하는데 반려견 이야기라니 약간 의아할지도 모르겠습니다. 하지만 듣고 나면 고개를 끄덕일 겁니다. 요즘 우리는 반려견을 많이 키웁니다. 개와 고양이까지 합치면 통계상으로 현재 600만이 넘었다고 하는데, 우리는 왜 이렇게 반려견을 많이 키우는 것일까요? 귀여워서? 그냥 좋아서? 밤늦게 퇴근했는데 부인이랑 아이들은 다 자고 있어도 반려견만큼은 엘리베이터 멈춤 소리가 나자마자 현관에 달려 나와 꼬리를 흔들고 있기 때문에? 혹시 생각해 본 적이 있는가요? 이 많은 반려견이 한결같이 우리들의 사랑을 받고 있는 이유를 말입니다.

그렇습니다. 우리는 이 반려견에게서 인간관계의 정수를 배워야 합니다. 반려견이 사랑받는 이유 중 하나는 먼저 인간들에게 사랑을 주기 때문입니다. 반려견들은 인간들에게 사랑을 얻기 위해 태어났고 그것이 그들의 존재 이유입니다. 그들은 그들의 삶의 목적을 달성하기 위해 오늘도 사람들을 향해 열심히 구애하고 있습니다. 그런데 여기서 하나 주목해야 할 게 있습니다. 주인을 향한 반려견의 사랑, 그 '진정성'입니다. 그들은 주인이 밥을 많이 주든 적게 주든 사랑을 많이 주든 적게 주든 자기를 키우는 주인에 대한 진정성을 가지고 있습니다. 이해타산으로 대하는 것이 아니라 오직 사랑을 갈구하며 진정성만을 가지고 사람을 대합니다.

진정성이란 무엇일까요? 리더인 당신은 과연 진정성을 가지고 구성원들을 대하고 있는지요? 참 답하기 어려운 질문입니다. 진정성을 가지고 구성원을 대한다는 것을 어떻게 설명할 수 있을까요? 아낌없이 주는 마음? 속임수가 없는 순수한 마음? 역지사지로 상대의 마음을 읽고 상대가 원하는 것을 행하는 것? 아니면 내 욕심을 버리고 상대를 위해 힘쓰는 것? 리더인 당신은 진정성을 어떻게 답하고 있습니까? 놀랍게도 우리는 진정성이란 무엇인지 정의 내리기는 어렵지만 상대의 진정성을 느낌으로 알 수 있습니다. 흡사 반려견이 진정으로 나를 사랑한다는 것을 느끼듯 말이죠.

지금 진정성이 좀 부족한 부하와 얘기하고 있다고 한번 상상해 보세요. 그런데 이 친구는 업무도 참 잘할 뿐더러 주변 동료들과의 관계도 참 좋고 상사인 나를 살갑게 대해주는 인재입니다. 흠잡을 데 없는 부하죠. 하지만 상사인 당신은 꼭 마지막 순간에는 그 친구를 믿기 어려워합니다. 왜 그런 것일까요? 뭔가 하나가 빠져 있기 때문은 아닐까요? 그 친구가 대하는 인간관계의 요지는 열심히 일하고 열심히 관계를 맺는 것이 자기 자신의 영달을 위한 것이고 타인을 진심으로 위하는 마음이 아니기 때문입니다. 참 괜찮은 친구인데 사람에 대한 진정성이 빠져 있는 것입니다.

이화여대 경영학부 윤정구 교수는 저서 『진정성이란 무엇인가?』에서 진정성 있는 리더란 '구성원의 가슴을 뛰게 하는 사명으로 구성원들을 임파워시켜 함께 사명이 현실로 구현되도록 선한 영향력을 행사하는 사람'이라고 정의했습니다. 그렇습니다. 그런 리더에게 성공이란 남과의 경쟁에서 이기고 눈에 보이는 성과를 얻는 것이 아닙니다. 그들은 진정으로 다른 사람들의 성공을 돕는 일에서 자신의 성공을 찾습니다. 구성원들에게 선한 영향력을 발휘하여 어떻게 그들의 성공을 이루게 하느냐가 진정성 있는 리더가 되기 위한 첫걸음입니다.

먼저 진심을 가지고 다가가면 반드시 안다

리더십과 기업 지배 구조 전문가 빌 조지는 『진실의 리더십』에서 리더는 다섯 가지 원칙에 따라 리더십을 행사한다고 말합니다. 가슴에 와닿는 내용이라 여기에 소개합니다. 첫째, 자신의 목적을 명확히 이해한다. 그리고 그 목적을 공유함으로써 리더와 구성원들에게 사명의 불씨를 제공한다. 둘째, 자신이 어려운 상황에서도 지켜야 할 가치를 중요시한다. 그들의 가치에는 정직성이 반드시 포함되어 있다. 셋째, 구성원들을 마음으로 이끈다. 머리로 이끌기보다 구성원들의 마음을 사로잡는 일에 진심을 다한다. 넷째, 지속적인 관계를 유지한다. 구성원들과의 솔직하고 깊은 관계에서 신뢰와 헌신이 나온다는 것을 알고 있다. 다섯째, 늘 자신을 훈련시킨다. 진정한 리더는 결과에 대한 책임 의식 없이 부하들에게 항상 너그러운 마음으로만 대하는 사람이 아니다. 자신이 맡은 임무는 책임감 있게 완수하고, 성과에 대한 기준을 지속적으로 높여가는 사람이다.

많은 리더가 일로써 사람을 대하고 일을 통해 사람을 봅니다. 그러면서 항상 느끼는 것이 '인간관계'는 참 어렵다는 것이지요. 일보다 더 중요한 것이 사람입니다. 상대의 진정성을 내가 부지 불식간에 느끼듯 인간관계에서 진심은 통하는 법입니다. 내가 진심을 가지고 먼저 다가가면 그 진심을 사람들은 분명 느낍니다. 구성원들이 잘되게끔 먼저 관심을 두고 진정성 있는 서포트를 해주는 것이 리더의 소임이자 인간관계의 시작이라고 해도 과언이 아닙니다.

4
생각을 뒤집으면 세상이 열린다

여러분은 해외여행을 좋아하십니까? 특별히 비행기 타는 것을 싫어하는 사람 빼고는 다들 좋아할 것입니다. 그런데 가까운 일본이나 동남아시아 외에는 비행기를 오래 타야 합니다. 그럼 장시간 비행기 타는 것은 어떤가요?

피할 수 없으면 뒤집어 즐겨라

한때 저는 한 달에 한 번 정도는 비행기를 탔습니다. 해외사업을 담당하느라 온 세계를 헤집고 다녔지요. 덕분에 안 가본 나라가 없을 정도로 많은 나라를 방문했습니다. 새로운 문화를 접하고 새로운 사람을 만나는 것은 좋았지만 비행기를 오래 타는 일은 늘 힘들었습니다. 그래서 항상 해외 출장의 아킬레스건은 장거리 비행이었고, 게다가 시차까지 겹쳐 한번 다녀오면 몸이 엉망이 되곤 했습니다.

특히 10시간이 넘는 비행 스케줄은 온몸을 뒤틀리게 했습니다. 마침 회사의 배려로 4시간이 넘는 출장지는 이코노미석에서 비즈니스석으로 좌석을 업그레이드할 수 있었습니다. 그래도 갇힌 공간에서의 10시간은 나에게 가혹한 형벌 같았습니다. 피할 수도 없고 도망칠 수도 없는 눈앞의 현실이었습니다.

그런데 우연히 내 아픔을 이겨낼 수 있도록 도와준 은인이 나타났습니다. 샌프란시스코에서 한국으로 돌아오는 비행기 안이었습니다. 아마 대여섯 시간이 지난 즈음 온몸을 뒤틀고 있는 제가 안쓰러웠는지 옆 좌석의 점잖게 생기신 중년의 신사분이 "많이 힘드신 모양이죠?"라며 말을 걸어왔습니다. 제가 고개를 끄덕이자 그는 "저는 비행기 안이 제일 좋아요."라고 환하게 웃으시는 것이 아닙니까? 솔깃한 마음에 "아니? 무슨 비법이라도 있으신가요?"라고 물었고, 돌아오는 대답이 바로 "뒤집어서 생각해 보세요."였습니다.

말씀인즉 자기도 수없이 장거리 비행기를 탔는데 너무 힘들었다는 것입니다. 그래서 피할 수 없는 장거리 비행이 자기한테 주는 불편함보다 이점이 무엇인지 생각하게 되었고 이런 결론에 이르렀다고 합니다. 자신의 일상에서 10시간이나 되는 시간을 오롯이 자신을 위해 쓸 수 있는 시간이 바로 이 시간이고, 그렇게 생각을 바꾸니 장거리 비행이 '축복의 시간'이 되었다고 하더군요.

그분 말씀의 요지는 "피할 수 없으면 즐겨라."였습니다. 그러고 보니 그분이 비행기 안에서 하신 여러 행동이 여유 있고 편안해 보였습니다. 나는 한 편의 영화를 끝까지 보는 것도 지겨워서 이리저리 채널을 돌렸습니다. 그런데 그분은 느긋하고 편안한 모습으로 영화를 끝까지 보셨습니다. 그것만이 아니었습니다. 기내식을 먹을 때도 천천히 즐기면서 드시는 것처럼 느껴졌습니다. 분명 저하고 똑같은 행위를 하는데 뭔가 달랐습니다.

그 당시는 제게 너무도 바쁜 시절이어서 저 자신에게 하루에 한 시간이라도 여유를 내기가 어려웠습니다. 그런데 생각을 바꾸니 비행기를 타는 10시간은 제게 황금이 굴러 들어온 것과 같았습니다. 책 읽고 싶으면 마음껏 책 읽고, 영화 보고 싶으면 언제든 영화를 보고, 잠자고 싶으면 마음 편히 잠잘 수 있는 곳이 바로 비행기 안이었지요. 더구나 배가 고플 때 버튼만 하나 누르면 스튜어디스가 웃는 얼굴로 달려와서 "고객님, 무엇이 필요하세요?"라고 물어주기까지 합니다. 더 기가 막히게 좋은 것은 10시간을 내 마음대로 써도 마누라의 잔소리가 없으니 그곳이 바로 천국이었지요.

그 신사분의 원포인트 레슨이 장거리 여행의 세계를 확 바꾸어 놓았습니다. 그 이후로는 비행기 여행이 너무 좋았고 그 시간을 마음껏 즐기게 되었습니다. '피할 수 없으면 즐겨라.'는 격언은 제 젊은 날의 가치관으로 자리 잡았습니다. 그래서 언제든 힘들고 하기 싫은 일이 생기면 언제나 이 격언을 떠올렸고 힘들고 하기 싫어도 제가 받아들이고 즐길 수 있는 것이 없는지 생각하게 했습니다. 어찌 보면 아주 작은 교훈이 젊은 저를 보다 성장하게 만든 것이 아닌가 싶습니다.

고난을 어떻게 대하는가가 삶을 바꾼다

미국 하버드대학교 연구팀은 1930년대 말부터 자그마치 70년 넘게 그 해 하버드대학교에 입학한 2학년생을 주축으로 대상자 814명의 전 생애를 통해 '행복의 조건'을 연구해왔습니다. 과연 이 방대한 연구의 결과물인 행복의 조건은 어떻게 나왔을까요? 놀랍게도 이들 814명이 알려주는 '행복의 조건 7가지'는 우리가 생각하는 부, 명예, 사회적 지위, 학벌 따위가 아니었습니다.

그 7가지 조건들 가운데 으뜸은 '고난에 대처하는 자세', 즉 성숙한 방어기제였습니다. 누구의 인생에서나 고난과 고통은 있게 마련입니다. 천석꾼은 천 가지 걱정, 만석꾼은 만 가지 걱정이 있다고들 하지 않습니까? 가진 자든 못 가진 자든 할 것 없이 누구든 예외 없이 삶에는 고통이 따른다는 것을 얘기하는 것이지요. 이 연구에 따르면 고난과 고통이 많고 적은가 보다는 그것에 어떻게 대처하느냐가 '행복의 절대 변수'라는 것입니다.

혹시 여러분들은 역경 지수AQ, Adversity Quotient란 말을 들어보았는지요? 살면서 접하는 많은 역경에 굴하지 않고 목표를 성취하는 능력을 지수화한 수치를 의미하는 말입니다. 미국의 커뮤니케이션 이론가 폴 스톨츠Paul G. Stoltz가 1997년 만든 용어이죠. 시대가 복잡해지고 예상할 수 없는 사건이나 사고들이 다수 발생하면서 IQ 대신 AQ가 인간의 능력을 가늠하게 될 것이라고 그는 강조합니다.

인생은 누구나가 수많은 어려움에 직면하지만 좌절하는 사람도 있고 어려움을 이겨내 즐거움을 만끽하는 사람도 있습니다. 성공한 사람 대부분은 이 역경 지수가 높다고 합니다. 그러면 역경 지수가 높은 사람들의 특징은 무엇일까요? 그들은 역경이나 실패 때문에 다른 사람을 비난하지 않는다고 합니다. 더 나아가 자기 자신도 비난하지 않습니다. 그들은 실패가 초라한 자신 때문에 생겼다고 생각하지 않습니다. 지금은 어려운 시기지만 언제든 헤쳐 나갈 수 있다고 믿기 때문이죠.

옛날의 바쁜 일상을 회상해 보면 그때는 '참 열심히 살았구나.'라는 안도감이 밀려옵니다. 하고 싶은 일도 많았지만 하기 싫은 일이 꽤 있었던 것 같습니다. 누가 얘기하지 않았던가요? 하고 싶은 일은 옆에서 말려도 열심히 하지만, 하기 싫은 일을 잘하는 것이 진짜 일 잘하는 사람이라고요. 그 하기 싫은 일에 대해 마음을 바꿔 기꺼이 받아들이고 즐겁게 일했다는 것은 대견스럽기까지 합니다.

은퇴한 지금 생각이 조금 변했습니다. 치열하게 사는 것도 중요하지만 좀 더 즐기면서 살려고 합니다. 그래서 "피할 수 없으면 즐겨라."에서 지금은 "즐길 수 없으면 피하라."는 쪽으로 바뀌고 있습니다.

5
급한 것보다 중요한 것부터 하라

아프리카에 어떤 부족이 살고 있었습니다. 원주민 모두가 성실하고 부지런해서 먹고사는 데는 지장이 없었습니다. 하지만 부족에게는 큰 걱정거리가 하나 있었습니다. 마을 근처에 강이 없어 매일 아침저녁으로 원주민 모두가 물통을 지고 한 시간 넘게 걸어서 물을 길으러 다녀야 했습니다.

마침 이 부족에게 선교활동을 하러 온 선교사가 있었습니다. 이 선교사는 부족의 아픔을 해결하고자 갖은 노력을 해서 마침내 마을 어귀에서 수맥을 발견하고 족장을 찾아갔습니다.

"족장님, 드디어 마을 입구에서 수맥을 발견했습니다. 이제 부족의 물 걱정은 안 하셔도 됩니다. 하루라도 빨리 힘을 모아 마을 어귀에 우물을 파면 모든 것이 해결됩니다."

이 말을 들은 족장은 잘 알았다면서 부족 회의를 열어 의견을 모아서 결정하겠다고 말하고는 긴급히 부족 회의를 소집했습니다. 이윽고 부족 회의가 끝났고 족장이 밖으로 나왔습니다. 기다리고 있던 선교사가 족장에게 다가가 물었습니다.

"그래, 언제 우물을 파기로 했습니까?"

족장은 조용히 답을 했습니다.

"우리는 우물을 파지 않기로 했습니다."

선교사로서는 회의 결과가 이해되지 않았습니다. 도대체 왜 우물을 안 파기로 했는지 큰 소리로 물었습니다. 그러나 족장의 다음 대답에 선교사는 진짜 기가 막혔습니다.

"우리는 매일 물을 길으러 가야 해서 시간이 나질 않습니다."

이 우화를 읽고 여러분들은 어떤 생각을 하셨나요? '바로 앞의 일만 할 줄 알았지 내일을 위한 준비는 전혀 못하는구나.'라고 생각하지 않았는지요. 하지만 이 우화는 바로 우리 이야기입니다. 조금 코믹하게 꾸민 우화라서 그렇지 보통 사람들의 현실을 얘기한 것이지요.

삶의 우선순위를 정해서 하라

"여러분들은 과연 자신의 우물을 파고 계신가요?"

일에는 '중요한 일'과 '급한 일' 이렇게 두 가지가 있습니다.

여러분들은 아침에 출근하면 무엇부터 먼저 하고 있습니까? 보통 사람들은 급한 일부터 먼저 하지요. 그게 당연한 이치겠지요. 하지만 사회적으로 성공한 많은 사람은 중요한 일부터 먼저 합니다. 어쩌면 이것이 인생의 승패를 가리는 중요한 요인이라고 저는 과감히 말하고 싶습니다.

그러면 중요한 일은 무엇이고 급한 일은 무엇입니까? 급한 일은 여러분들이 너무나 잘 알고 있는 것들입니다. 상사로부터 지시받은 긴급 업무부터 오늘까지 납기를 맞춰서 끝내야 하는 일 등등 출근만 하면 급하게 해야 할 일들이 쏜살같이 내 책상에 내려앉습니다. 반갑기도 하고 징그럽기도 하고……. 일 없는 세상에 살 수는 없을까요?

'중요한 일'이란 무엇일까요? 한번 생각해 보세요. 자신에게 진짜 중요한 일은 무엇인가를. 우리는 이 중요한 일을 바쁘다는 핑계로 등한시하지는 않았는지도 생각해볼 필요가 있습니다. 아이러니하게도 중요한 일은 지금 하지 않아도 별문제는 없고 당장 오늘의 내 삶이 바뀌지도 않습니다. 중요한 일은 급한 일처럼 납기를 정해 한 번에 쳐낼 수 있는 것들이 아니기 때문입니다.

생각해 보셨습니까? 나의 삶에서 중요한 일들이 무엇인지 감이 잡힙니까? 올가을에 결혼 날짜를 받아 놓은 젊은 신랑 신부

들은 그 혼사 준비가 일생에서 가장 중요한 일이 될 것이고 몸이 아픈 곳이 있어 곧 수술해야 하는 사람은 그 수술 준비가 중요한 일일 것입니다. 어쩌면 방금 말씀드린 일들은 중요하면서도 급한 일들이어서 일의 우선순위를 정할 때 너무도 결정하기가 쉽습니다. 세상에 이런 일들만 있다면 삶의 우선순위를 정하기가 너무 쉬울 텐데 일이라는 게 꼭 그렇지만은 않습니다.

제가 강의를 하면서 많은 사람에게 물어봤습니다. 당신 삶에서 중요한 일은 무엇이냐고. 그런데 놀랍게도 많은 사람이 자신의 중요한 일이 무엇인지 선뜻 대답하지 못했습니다. 그것은 자신의 삶에 대한 방향을 아직 정하지 못했다는 것이지요. 중요한 일들이 정리되어 있다는 것은 자신이 무엇에 중점을 두고 살아가겠다는 것과 같은 것이니까요.

가만히 눈을 감고 생각해 보면 본인의 인생에서 중요한 일들은 의외로 너무나 많습니다. 한번 잠깐 같이 생각해 볼까요? 첫째, 내 가족을 사랑하는 일-가족을 위해 매일 혹은 매주 뭔가를 하는 것. 둘째, 건강을 지키는 것-매일 시간을 내서 운동해야 하는 것. 셋째, 내 인생의 꿈과 목표를 이루는 것-매일 그 세부 목표에 다가갈 수 있도록 꿈꾸며 조금씩 실행하는 것. 넷째, 내일보다 가치 있는 일을 하기 위해 오늘의 나를 담금질시키는 것-개인 능력을 향상시키는 일로 직무능력과 언어능력 등을 업그레이드하는 것. 다섯째, 개인의 향기를 높이기 위해 양식을 쌓는 일—틈나면 책을 읽고 명상도 하며 자신의 삶을 성찰하는 것 등등 조금만 깊이 있게 생각해 보면 수없이 많습니다.

특히나 매일매일 일에 치여 사는 사람들은 리프레시할 수 있는 취미를 가져야 합니다. 정작 자신을 위해 시간을 내지 못하는 사람들에게 자신의 취미생활로 어떤 것을 즐기고 있느냐고 물어보면 그냥 웃고 말죠. 바쁜데 무슨 뚱딴지같은 소리냐고. 일에 보다 집중하며, 효율적으로 하기 위해서 취미생활을 통한 리프레시는 필수입니다. 더 나아가 친구 사이 우정을 돈독히 하는 것도 너무 중요한 일이고 은사님께 연락하여 인생의 조언을 받는 것도 중요한 일이 될 것입니다.

그날 해야 할 일을 생각하고 계획을 세우자

여기서 잠깐 제 얘기를 하겠습니다. 본래 저는 무척 건강한 타입이었는데 20여 년 전에 허리 디스크도 오고, 장도 탈이 나고, 건강에 빨간불이 켜진 적이 있었습니다. 당연히 제가 제일 좋아하는 골프를 하기도 힘들 뿐 아니라 건강으로 인해 생활 자체가 뒤죽박죽 엉망이 되고 말았습니다. 일에 대한 욕심 때문에 건강을 등한시하고 회사 업무에만 집착했던 결과였지요. 디스크를 수술할 정도는 아니었지만 건강으로 인해 일상이 영향을 받은 것은 그때가 처음이었던 것 같습니다. 건강 체질이어서 건강에 대해 전혀 생각하지 않고 잘살아 왔건만 건강 때문에 업무가 위협받는 상황에 부닥치니 자산이라고는 몸뚱어리 하나밖에 없는 나로서는 '내 삶의 위기'라는 생각이 저절로 들었습니다.

많은 반성을 했고 인생 설계를 다시 했습니다. 인생에선 건강이 최우선이다. 건강하지 못하면 아무것도 할 수 없다. 내 자산(밑천)은 내가 확실히 지키자. 그래서 건강을 '내 인생의 제1순위'로 정했습니다.

그 이후로 아침에 일어나면 제일 먼저 이 중요한 일-운동부터 했습니다. 여러 군데 물어보고 확인해서 허리 근력에 좋다는 스트레칭 및 복근 강화 운동을 30~40분 하기 시작했습니다. 한 달 두 달 조바심이 났지만 꾸준히 조금씩 매일 6개월을 지속했습니다. 6개월이 지나자 허리 근력이 확실히 좋아졌고 건강에 대한 확신이 섰습니다. 아침에 하는 소소한 운동이 건강을 회복시켜 주었고, 덕분에 생활도 밝아졌으며 사람과의 관계도 활력을 얻었습니다. 인생에서 중요한 일을 먼저 챙긴 결과였습니다.

그때부터 내 일상에서 중요한 일과 급한 일을 구분해서 '일의 우선순위'를 정하고 되도록 중요한 일부터 먼저 하자는 생각으로 살기 시작했습니다. 그런 마음으로 아침 운동을 마치고 회사로 출근해서도 급한 일을 잠시 미뤄두고 읽고 싶은 책을 읽는

다든지, 영어나 중국어 등 어학 공부를 한다든지, 몇 가지 모아 놓았던 중요자료들을 먼저 읽곤 했습니다. 그리고 컴퓨터 전원을 켜기 앞서 그날 해야 할 일을 생각해 보고 계획을 세우는 일부터 먼저 했지요. 그러한 습관이 오늘의 저를 구성하는 뼈대가 되었다고 말할 수 있습니다.

여러분들은 어떻습니까? 잠자리에서 겨우 일어나서 아침 운동은 고사하고 하루의 신선한 공기를 기분 좋게 마실 틈도 없이 허겁지겁 샤워하고 밥 먹고 출근하지는 않았는지요? 그리고 출근하자마자 아무 생각 없이 급한 일을 위해 컴퓨터 전원부터 켜지 않았나요?

내일 좀 더 가치 있는 일을 하기 위해서는 오늘 내 인생의 조그마한 우물을 우선 파십시오. 중요한 일부터 먼저 하십시오. 그게 여러분들의 삶을 살찌우는 길입니다. 오늘 하루 시간을 꼭 내어 본인에게 진짜 중요한 일이 무엇인지 한번 진지하게 생각해 보십시오. 그리고 한번 적어 보세요. 인생의 많은 부분이 정리될 것입니다.

6
치열했기에 후회가 없다
_ 사원들에게 다시 쓴 마지막 메일

중세 사회 그 밑바닥을 관통하는 두 개의 기둥이 있었다고 합니다.

'카르페 디엠Carpe Diem'과 '메멘토 모리Memento Mori.'

'카르페 디엠'은 현재에 충실하라는 의미라면 '메멘토 모리'는 죽음을 기억하라는 의미입니다. 두 개의 격언을 이어서 우리는 '현재에 충실하라. 그리고 죽음을 기억하라.'로 해석하기로 합니다. 언뜻 생각하면 현재와 죽음이 잘 연결되지 않습니다. 그러나 좀 더 깊이 생각해보면 현재와 죽음 사이는 긴밀하게 연결되어 있다는 걸 알 수 있습니다. 현재에 충실해야 하는 것은 우리의 삶 끝에 죽음이 있기 때문입니다. 죽음을 기억하라는 말은 삶에 치열하게 몰입하라는 역설입니다. 프랑스 사학자 필리프 아리

에스_{Philippe Ariès}는 "중세 사람들만큼 삶을 사랑한 이들은 어느 시대에도 없었다는 것은 부인할 수 없는 진실이다."라고 말합니다. 중세 사람들은 '영원히 살 것처럼 꿈꾸고 내일 죽을 것처럼 오늘을 살아라.'를 기치로 보다 인간다운 삶을 살았다고 합니다.

오늘을 마지막 날이라고 가정하고 살아보자

여러분은 혹시 '삶의 마지막 날'을 생각해 보신 적이 있으신가요? 오늘을 내 삶의 마지막 날이라고 가정해서 살아보신 적이 있으신가요? 저는 매일 아침 눈을 뜨면 제 삶에 대한 염원을 담아 잠깐씩이나마 명상을 합니다.

'오늘 아침 해가 밝았습니다. 어제 죽어간 자가 그리 간절히 원했던 바로 오늘입니다. 살아 있다는 것 그 자체만으로도 너무나 축복 같은 이 오늘, 하늘을 우러러 한 점 부끄럼 없이 살아갈 수 있도록 저에게 용기와 지혜를 주옵시고, 매사에 최선을 다해 살아가게 하옵소서. 해서, 오늘 이 하루가 생의 마지막 날인 양 온몸을 불사를 수 있는 그런 치열한 하루가 되게 하소서. 또한 행복의 주파수를 쏘며 감사하는 마음으로 살게 하여 주옵소서. 모든 것은 원하는 대로 이루어지리니……'

이런 내용으로 명상을 시작합니다. 각자에게 울림을 주는 단어가 다르겠지만 저의 핵심 단어는 바로 '치열'입니다. 우리 삶이 매일매일 '마지막 순간'이라는 생각이 든다면 어찌 치열하게 살지 않을 수 있겠습니까?

　　저게 저절로 붉어질 리는 없다
　　저 안에 태풍 몇 개
　　저 안에 천둥 몇 개
　　저 안에 벼락 몇 개

　장석주 시인의 「대추 한 알」 중 일부입니다. 오늘은 아침부터 왜 이 시가 그리도 생각나는지. 33년의 직장생활. 참 행복했고 즐거웠고 가슴 벅찼고 뜨거웠습니다. 대추 한 알에 저렇게 많은 것들이 녹여져 있는데 하물며 우리의 삶은 더더욱 엄청난 것이겠지요. 그 엄청난 크기와 은혜에 깊이 감사하는 오늘 하루입니다.

　성공은 연봉이 아닌 더 나은 자신이 되는 것이다
　저는 급여생활자의 성공을 승진이나 더 많은 연봉에 있다고 생각하지 않습니다. 만약 승진과 연봉에 모든 초점을 맞춘다고 하면 우리네 회사생활은 너무나 딱딱하며 건조한 것이 되어버리지 않을까요? 저는 그 성공을 '내일(미래의 오늘) 보다 더 가치 있는 일을 하는 것'에 있다고 봅니다. 주어진 시간에 남들보다 더 가치 있는 일을 하는 것과 자기 자신이 매일 성장과 변화, 즉 발전을 통해 오늘보다는 내일 더 가치 있는 인간으로 변모해 나가는 것에 성공의 무게를 두고 싶습니다.

스스로의 발전을 위해서는 자신을 쉼 없이 담금질하는 그런 치열한 삶을 사는 것이 가장 자기답고 아름다운 모습이라 생각합니다. 치열, 이것은 자신에게도 그 누구에게도 부끄럼이 없는 그런 삶을 만들어 주는 원동력이라 하겠습니다.

이제 자유인으로 살고 싶습니다. 모든 걸 다 내려놓은 홀가분한 마음으로 살고 싶습니다. 지나고 보니 참 치열했던 삶이었습니다. 어느 하루 숨 막히는 전투가 일어나지 않은 날이 없었던 것 같습니다. 30여 년 회사생활을 한 단어로 말하라면 바로 '치열'일 것입니다. 갑자기 눈물이 쏟아질 것만 같습니다. 진짜 후회 없는 삶이었습니다.

여러분들에게 꼭 부탁드리고 싶은 마지막 말이 있습니다. 회사의 마지막 날을 맞이했을 때 "치열했기에 행복했습니다."라는 말로 대미를 장식해 주시길 바랍니다.

'카르페 디엠Carpe Diem, 메멘토 모리Memento Mori.'

'영원히 살 것처럼 꿈꾸고, 내일 죽을 것처럼 오늘을 살아라.'

2부 | 삶에서 발견하는 또 다른 삶의 쉼

1장

내면의 소리에 귀를 기울여라

1
생각을 바꾸면 변화가 생긴다

우리 집 침실 머리맡에는 걱정인형 두 개가 작은 유리병 안에 담겨 있습니다. 걱정인형은 과테말라 고산족 풍습의 산물입니다. 걱정이 많아 잠을 쉽사리 이루지 못하는 어린아이들이 잠자기 전 걱정인형에 자신의 고민을 넘겨주고 편하게 잠자게 하는 풍습에서 만들어졌다고 합니다. 우리나라에서는 모 보험사가 이 걱정인형을 마케팅 광고에 활용하면서 널리 알려지게 되었지요.

어느 코칭 모임에서 코치 한 분이 참석한 코치들에게 걱정인형을 나누어 주었습니다. 고맙게도 저 역시 인형 두 개를 선물받았습니다. 직접 만드신 인형이라고 하더군요. 선물을 받으면서 이 인형을 아내에게 꼭 선물해야겠다고 생각했습니다. 수면

장애가 있는 아내에게 인형을 건네면서 걱정인형의 설명을 덧붙였습니다. 아내는 남편의 마음 씀씀이가 좋다면서 선선히 이 걱정인형을 받았고 덕분에 어느 정도는 수면장애가 해소된 듯 보였습니다.

제 아내는 저와 같이 산 지 벌써 30년이 훌쩍 넘었습니다. 지금 봐도 참 예쁘고, 살림도 잘하고, 맛있는 요리도 척척 잘하고, 자식들도 잘 키웠습니다. 어딜 둘러봐도 이런 여자가 다시없기에 너무 행복합니다. 딱 하나 흠이 있다면 잔소리 마왕입니다. 지금 사는 집으로 이사 온 지 10년 정도 되었는데 가끔 지인들이 놀러 오면 엄청나게 놀랍니다. 올 때마다 새집처럼 보이기 때문입니다. 집안 곳곳이 하나같이 잘 정리되어 있고 눈에 거슬리는 것이 하나도 없습니다. 거실이나 식탁이나 부엌에도 티끌 하나 없죠. 완벽한 매니지먼트입니다.

그런 성격이다 보니 외출할 때는 으레 확인 절차를 거쳐야 합니다. 바지, 셔츠, 재킷의 색상 밸런스는 당연하고 날씨와의 적합성까지 검열받아야만 외출할 수 있습니다. 특히 어디 중요한 회의에 참석하거나 결혼식에 참석할 일이 있어서 정장이라도 입게 되면 셔츠와 넥타이까지 체크합니다. 그때 통과율은 거의 제로에 가깝습니다. 밥 먹을 때는 또 어떤가요? 빨리 먹어도 안 되고, 흘려도 안 되고, 씹는 소리는 절대 금물입니다. 입을 벌려서 먹으면 곧바로 아웃입니다. 이런 게 처음에는 다소 불편했으나 이제는 아들이나 저나 완벽한 순종형이 다 되었습니다. 그게 편하게 사는 길이기 때문이죠. 아들이나 저나 집안의 행복을 위해 알아서 깁니다. 어찌해서 백설 공주가 마귀할멈(아들이 엄마를 놀릴 때 자주 쓰는 단어)과 같은 잔소리를 하는지 도무지 알 수가 없습니다.

그 사람의 강점을 알면 이해할 수 있다

갤럽의 강점 코치가 되고 난 후였습니다. 저는 우리 가족들의 강점 진단을 공식적인 갤럽의 사이트에서 받게 했습니다. 가족들의 강점을 알게 되면 가족들 간의 이해도가 높아지기 때문이죠. 갤럽은 50여 년간 인간의 강점을 연구해왔으며 그 결과 인간의 강점을 과학적으로 분석하여 34가지로 분류했습니다. 온라인으로 진단을 받으면 자신의 강점을 순서대로 정리까지 해줍니다. 물론 대표 강점인 톱 5가 자신에게 가장 중요한 강점이라 할 수 있습니다. 이 톱 5를 알게 되면 그 사람의 강점 발현 행동을 알 수 있고 그 사람을 이해하고 코칭하는 데 아주 유용하게 활용할 수 있습니다.

제 아내의 진단 결과를 보고 난 뒤 혼자서 폭소를 터뜨렸습니다. '그랬구나. 그래서 잔소리 마왕이었구나.'라고 새삼 깨달았죠.

최상화 / 책임 / 체계 순으로 톱 5가 이루어져 있었습니다. '최상화'는 반짝이는 진주를 닦고 또 닦는 것이고, '책임'은 자신이 맡은 일은 올바르고 끝까지 완수하는 역량이고, '체계'는 일상의 순서를 정리하여 효율적으로 일하는 강점입니다. 강점 진단 결과를 보고 어쩔 수 없이 잔소리 마왕이 될 수밖에 없는 사람이라는 것을 수긍할 수 있었습니다. 참 고마운 진단이었습니다.

생각을 바꾸면 잔소리도 잔소리가 아니다

어느 날 침대 머리맡에 있는 걱정인형을 보고 멋진 아이디어를 떠올렸습니다. '그래, 내가 잔소리인형이 되자.' 기꺼이 아내의 걱정인형이 되면 아내한테 잔소리를 들어도 내가 행복해질 수 있으리라 생각했습니다. 그리고 제가 자처해서 '잔소리를 들어주는 인형'이 되겠다고 선언했습니다.

처음에는 농담같이 한 이 선언이 저에게 엄청 행복한 길을 열게 해주는 열쇠가 되었습니다. 그 선언 이후 놀라운 변화가 찾아왔습니다. 잔소리를 들으면 잔소리인형이 행복해지는 것이어서 그 이후로는 잔소리가 노랫소리로 바뀌고 만 것입니다. 어떤 잔소리도 다 들을 수 있게 됐습니다. 어쩌면 잔소리를 잔소리로 인식하지 않게 된 것일지도 모릅니다.

더 놀라운 것은 나의 변화에 맞춰 내 아내도 변하기 시작한 것입니다. 잔소리하면 당연히 남편이 저항하고 언성도 높이는 것을 보고 자신의 존재가치를 느꼈는데 이 나쁜 남편이 잔소리 인형이 되고 난 뒤부터 잔소리를 잔소리라 받아들이지 않고 히 죽히죽 웃고 있으니 미칠 지경이 되고 만 것입니다. 놀랍게도 아내의 잔소리가 줄기 시작했습니다.

오늘도 침실에는 걱정인형과 잔소리인형이 나란히 잠을 잡니 다. 걱정인형이 잔소리인형에게 묻습니다. 오늘 잔소리 많이 받 았느냐고? 잔소리인형은 답합니다. 그래서 행복하다고. 두 인형 은 꿀잠을 청합니다.

2
인생은 빨리빨리 2배속으로 즐길 수 없다

저에게는 고칠 수 없는 병이 하나 있습니다. 바로 '질주 본능'입니다. 차를 몰 때 그 버릇은 확연히 발휘되고 맙니다. 도로에서 남들보다 늦게 가면 참을 수가 없고 목적지에 누구보다도 빨리 가야 직성이 풀리죠. 특히 고속도로에서는 더 심합니다. 동틀 무렵, 차량이 별로 없는 고속도로에서는 시속 200킬로미터로 달려야 속이 시원해지는, 말릴 수 없는 질주 본능이 저를 지배하고 있습니다. 병이라면 병인 셈이죠.

인생은 목표뿐 아니라 과정도 중요하다

모든 일이 다 그렇습니다. 어떤 일을 하든 누구보다 빨리 끝내야 하고 주변의 그 누군가가 저보다 빨리 일을 마치면 참을 수가 없습니다. 우리나라 국민병인 '빨리빨리'의 대표 주자임에 틀림없습니다. 30년 이상 대기업에서 쉴 틈 없이 바쁘게만 살다가 은퇴를 했으니 그럴 수밖에 없겠다고 자위를 해봅니다. 하지만 이 병을 어떻게 고칠 수 있을지 고민이 참 많았습니다. 집사람의 끝없는 당부가 '천천히'라 할 정도이고 밥상머리에서도 "제발 좀 천천히 드세요."가 노랫소리가 된 지는 벌써 오래입니다. 한동안 제 책상 앞에 '일일 실천계획'이 붙어 있었는데 여러 항목 중 가장 잘 지켜지지 않는 것이 '시속 150킬로미터를 넘지 말자'입니다.

30여 년의 직장생활을 마칠 무렵 여러 가지를 반성하고 정리해 보았습니다. 스스로 삶을 되돌아보면서 과연 후회는 없는지, 이대로 마쳐도 괜찮은지, 잘못을 저지르고 마치지는 않는지, 주변 동료들에게 인간적으로 대했는지 등등. 그때 제 삶을 관통했던 단어 하나가 '치열'이었습니다. 수없이 쏟아지는 일에 매일 정신없이 살았으며 하루하루가 전쟁이 아닌 날이 없었음이 분명했습니다. 몰입도 그런 몰입이 없었을 겁니다. 그래서 '참 미친 듯이 살았구나.' 하면서 떠오른 단어였습니다. 어쩌면 질주 본능 속에 숨어 있는 피할 수 없는 자객이 '치열'일 듯합니다.

그런데 이 '질주 본능'이 제 세컨드 스테이지인 코칭 현장에서도 나타나서 괴롭히고 있는 것이 아닙니까. 고객과의 대화에서 잠깐 멈춤이나 충분히 생각할 시간을 가져야 하는 것은 코칭의 기본 중의 기본입니다. 그럼에도 불구하고 코칭 목표를 향해 숨 돌릴 틈도 없이 전진하는 전사의 모습을 스스로 발견하곤 합니다. 그럴 때마다 자괴감에 빠지곤 하지요. 코칭에서는 코칭의 목표만 중요한 것이 아닙니다. 코칭 과정에서 고객이 성찰해서 깨닫는 것, 새로운 내면의 발견이 중요합니다. 목표에 쫓겨 이런 프로세스를 건너뛴 게 한두 번이 아니었습니다.

마음속에 살고 있는 원숭이를 죽여라

많은 고민 끝에 존경하는 멘토코치님께 멘토링을 받았습니다. 멘토코치님의 주문은 간단하고 명료했습니다.

"마음속 원숭이를 죽이십시오."

우리 마음속에는 108마리의 원숭이가 살고 있고 그 원숭이들이 쉴 틈 없이 일을 만들고 목표를 세운다는 것입니다. 자질구레한 일들을 처리하고 자랑스러워하는 원숭이를 죽여야지 더 가치 있는 일을 할 수 있는 시간과 공간이 생긴다는 말씀이었죠. 그 뒤로 1년 가까이 책상 앞에 '마음속의 원숭이 죽이기'라는 문구를 A4 용지에 써 놓고 각오를 다졌으나 쉽지는 않았습니다. 30년 이상 살아온 습(習)을 하루아침에 버리는 것은 어려운 일이었고 늘상 새로운 일을 갈구하고 새로운 목표에 몸과 마음을 빼앗기기 일쑤였습니다.

몇 달 전의 일입니다. 오른발 뒤꿈치에 조그만 트러블이 생겨서 병원을 찾았더니 족저근막염의 일종으로 쉽게 낫는 병이 아니라고 했습니다. 그런데 이 트러블은 일상생활에서는 전혀 문제가 없는데 유독 운전 중 가속 페달을 밟을 때나 브레이크를 밟을 때 불편했습니다. 특히 장거리 운전을 할 때는 시간이 가면 갈수록 통증이 심해졌습니다. 1시간 이상을 달릴 때는 통증을 가라앉히기 위해 휴게소에 들러 잠시 쉬거나 그마저도 여의치 않을 때는 아예 출발 전에 구두를 벗고 뒤꿈치에 무리를 주지 않는 샌들 종류로 갈아 신고 운전하는 지경에 이르렀습니다.

그러다가 우연히 차량의 '크루즈' 기능이 눈에 들어왔습니다. 제가 운전하는 차량에는 처음부터 있던 기본 기능이었습니다. 하지만 질주 본능으로 인해 그간 주인으로부터 사랑을 전혀 받지 못한 천덕꾸러기가 다 된, 있으나마나 한 기능이었습니다. 몇 번의 시행착오 끝에 크루즈 기능을 쓰게 되었습니다. 차를 산 지 딱 5년 만이었죠. 장거리 운전 때 뒤꿈치 통증 때문에 크루즈라는 신천지에 눈을 뜨게 된 것입니다. 놀랍게도 크루즈 기능은 운전의 여유를 주었습니다. 가끔 창밖의 풍경도 바라볼 수 있게 해주었죠.

"이런 세상에. 이제야 이 기능을 사용하다니. 하하, 바보야 바보!"

"이렇게 편리한 기능을 질주라는 본능에 속아 사용을 못 했다니 인생을 헛살았다."

"네 인생도 그런 거야. 이제 크루즈를 장착해!"

크루즈 기능을 사용한 뒤에 찾아온 통렬한 반성으로 인생 전체를 다시 한번 되돌아보게 되었습니다.

이제는 시속 120킬로미터를 잘 넘지 않습니다. 크루즈 운전 때는 이 속도가 앞뒤 차량의 흐름을 맞출 수 있는 최고속도이기 때문입니다. 예전에는 운전이 승부였고 목적지에 빨리 도달하는 것이 승리였기 때문에 운전은 항상 전투 태세였습니다. 하지만 지금은 편하고 안락한 안전 운전이 우선입니다. 돌이켜 보면 스스로가 질주 본능이란 프레임에 갇혀 천천히 즐기는 여유를 가지지 못했습니다.

'크루즈'라는 기능은 제 질주 본능만 누그러뜨려 준 것만이 아닙니다. 그 체험을 계기로 지금 제 삶이 조금씩 바뀌고 있습니다. 외출 나갈 때 화장을 하면서 항상 여유 있는 집사람과 달리 언제나 '빨리빨리'를 외치던 제가 여유를 가지고 기다려줄 줄도 알고 외식할 때 누구보다도 급하게 식사하던 버릇도 점차 좋아졌습니다. 특히 쇼핑하러 갔을 때 제일 첫 가게에서 쓱싹 물건을 구입하던 고질병이 급격하게 좋아졌습니다. 집사람의 충고도 들으며 이 집 저 집 다니면서 물건을 비교해서 가장 좋은 물건을 구입하는 여유도 갖게 되었습니다. 제가 생각해도 인간이 많이 됐습니다.

크루즈 기능과 친해진 지 오래되지 않았음에도 불구하고 천천히 가는 삶이 많은 여유와 공간을 만들어 주고 있다는 것을 느낍니다. 더구나 이제는 가끔 멈추어서 명상도 하면서 삶의 풍경을 즐깁니다. 고마운 크루즈 기능입니다.

3
긍정의 파장은 긍정의 결과를 가져온다

저는 세상 모든 것은 서로가 서로에게 영향을 주고 서로가 연결되어 있다고 믿고 살아갑니다. 영화 「아바타」를 보면 판도라 행성에 사는 나비족은 모든 생태계와의 조화를 생각하며 모든 것을 연결하며 살고 있습니다. 익룡을 닮은 날아다니는 새 '이크란'을 타기 전 이크란의 촉수와 나비족의 머리카락을 연결합니다. 그러면 둘 사이의 교감이 일어나고 나비족은 자신이 원하는 대로 하늘을 날 수 있습니다.

특히 이들의 중심부에는 판도라의 모든 것을 다스리는 신 '에이와'가 살고 있다고 믿는 '영혼의 나무'가 있습니다. 이 거대한 홈트리 나무 아래서 모든 나비족이 서로 손에 손을 잡고 서로를 연결하여 에너지를 증폭시키는 장면은 압권입니다. 이 에너지를 받아 해병 제이크 설리는 나비족 설리로 재탄생합니다. 자연과 연결되어 자연의 일부분으로 살아가는 방식이 저에게는 현실처럼 신선하게 다가왔습니다.

내 인생은 내가 끌어당긴 것이다

론다 번의 『시크릿』이란 책을 보면 선인들, 위대한 스승들, 가진 자들, 성공한 자들은 하나같이 '우주의 법칙', 즉 비밀을 알고 있었다고 합니다. 플라톤, 셰익스피어, 뉴턴, 베토벤, 링컨, 아인슈타인 등등 역사상 가장 위대했던 인물들이 꿰뚫고 있었던 비밀. 그 비밀은 바로 '끌어당김의 법칙Law of Attraction'입니다.

여러분의 인생에 나타나는 모든 현상은 여러분이 끌어당긴 것입니다. 여러분이 어디에 있든, 무엇을 하든 모두 동일한 힘에 따라 움직입니다. 여러분의 마음이 그린 그림과 생각이 그것들을 끌어당겼다는 뜻이지요. 마음에 어떤 생각이 일어나든지 바로 그것이 당신에게 끌려오게 된다는 것입니다. 각자의 기준으로 본다면 여러분은 어쩌면 우주에서 가장 강력한 자석일지도 모릅니다. 여러분 안에는 세상 그 무엇보다 강한 자기력이 깃들어 있고 그 헤아릴 수 없는 자기력은 바로 여러분 생각을 통해 방사됩니다. 이 비밀을 깨달을 때 여러분은 난 사람이 되고 성공한 사람이 됩니다.

여러분은 꿈을 믿습니까? 아니, 꿈이 이루어진다고 생각하십니까?

'Attraction'은 끌어당김, 유인, 흡인, 매력이라는 뜻입니다. 저는 『시크릿』책을 읽으면서 그 의미를 끌어당김에서 좀 더 나아가 '서로에의 감응'이라고 해석했습니다. 이 우주는 모두 하나의 '기氣 - 에너지'로 연결되어 있습니다. 기는 자신 내부의 에너지이고 그것을 자신이 마음만 먹으면 언제든 자유롭게 움직일 수 있습니다. 그 기를 믿고 잘 운용하면 모든 것은 자신이 원하는 대로 이루어질 수 있습니다. 그것이 론다 번이 말하는 '비밀의 열쇠'입니다.

이런 생각은 어쩌면 비상식적이고 비현실적일지도 모릅니다. 그러나 변화는 이런 비현실적인 생각에서 시작된다고 저는 믿습니다. 즉 '꿈은 믿는 만큼 이루어진다.'라는 것이 제 생각입니다. 여러분은 어떻게 생각하십니까? 자기가 가진 꿈이 이루어진다고 생각하십니까? 큰 꿈이 아니더라도 본인이 가진 작고 소박한 꿈 말입니다. 누군가는 말하죠. '꿈은 이루어지지 않기에 꿈인 것이다.'라고. 또한 '꿈이 이루어지면 너무 재미가 없지. 꿈은 꿈인 거야.'라고 말하죠.

여러분은 어떤 꿈을 가지고 있습니까? 너무 크고 원대하기에 실현 불가능한 꿈입니까? 아니면 지금이라도 노력하고 힘쓴다면 조만간 실현될 수 있는 작고 소박한 꿈입니까? 그리고 그 꿈은 이루어질까요? 아니, 꿈은 이루어진다는 선각자나 어느 영웅들의 터무니없는 1%의 확률을 믿습니까? 어떤 꿈이든 여러분이 꾸는 꿈, 평범한 사람들의 꿈은 진짜 실현될 수 있는 것일까요?

꿈을 믿는다는 것은 '내 마음의 파장을 한 곳으로 집중'하는 것이지요. 내 마음의 파장이란 바로 기입니다. 이 기는 온 우주와 연결되어 있습니다. 그리고 내가 어떻게 운용하느냐에 따라 그 모습과 형상, 결과는 만들어 갈 수 있습니다. 긍정적인 파장은 긍정적인 결과를 낳고 부정적인 파장은 부정적인 결과를 낳는 것은 당연지사입니다. 그게 바로 우주의 법칙, 즉 비밀이라고 저는 생각합니다.

뭔가를 가지고 싶습니까? 그러면 그 대상을 정하고 파장을 보내십시오. 원하는 것이 언젠가는 내 손에 들어올 것입니다. 무언가가 되고 싶습니까? 그러면 그렇게 되리라 믿고 행하십시오. 그 '믿음–마음의 파장'은 당신이 원하는 그 무엇인가로 이끌어 줄 것입니다.

자기만의 행복을 만들어보자

저는 어떤 중요한 일을 할 때마다 미리 긍정적인 결과를 상정하고 그렇게 되리라는 즐거운 상상을 합니다. 상상 속에서 이미 그 중요한 일은 말끔하게 클리어되어 있는 것이지요. 그리고 그 믿음을 잃지 않고 시간이 지나고 나면 재미있게도 신기하게도 언제나처럼 그러했듯이 제가 원하는 대로 이루어져 있습니다.

그런데 기나 마음의 파장 등 이런 보이지 않는 것이 어떻게 작동하는지 믿기 어렵습니까? 그렇다면 제가 생각해 낸 비밀을 하나 알려 드리겠습니다.

15년도 더 지난 얘기입니다. 『시크릿』을 읽고 나서 바로 시작 했습니다. 저와 세상을 연결해줄 비밀 통로를 하나 만들었습니다. 출근하면서 주머니에 작은 돌 하나를 챙겨 넣습니다. '행복 돌'입니다. 힘들고 스트레스를 받는 일이 있으면 가만히 호주머 니에 손을 넣습니다. 그리고는 행복돌을 만지면서 속으로 이렇게 속삭입니다. '사랑합니다, 감사합니다, 행복합니다.'라고. 제 몸 저 밑바닥에서부터 좋은 기운이 차올라옵니다. 어느새 부정의 감정은 긍정으로 바뀝니다. 여러분도 자기만의 행복돌을 만들어보시길 바랍니다.

4

내가 하고 싶은 것을 하려고 산다

　프린스턴대학교 고등과학연구소는 캐비닛을 열어 15년 만에 파일을 개봉했습니다. '코넬대학교 철학과 2학년생 버킷리스트' 였습니다. 1년여에 걸쳐 조사가 진행되었고 32명의 소재를 모두 파악했다고 합니다. 안타깝게도 3명은 사망했고 29명 중 26명은 직업이 있었습니다. 당시 설문조사에 성실하게 응한 사람은 17명이었고 백지로 내거나 무성의하게 대답한 사람은 15명이었습니다.

　조사 결과는 놀라웠습니다. 버킷리스트를 성실하게 작성한 사람들이 그렇지 않은 사람들보다 사회적 지위가 높았고 재산은 평균 2.8배 많았습니다. 90% 정도가 현재의 삶에 만족한다고 했습니다. 더구나 이혼 경험 없이 행복한 가정생활을 하고 있었다고 하네요.

하고 싶은 것을 미루어두지 말자

버킷리스트 항목 중에는 평범한 것도 있지만 특이한 것도 있었습니다. 그러나 무엇을 적었는지는 중요하지 않았습니다. 중요한 것은 버킷리스트를 가지고 있느냐 없느냐입니다. 성실하게 작성했던 학생들이 더 성공할 수 있었던 이유는 소망의 내용이 아니라 늘 무엇인가를 꿈꾸는 삶의 자세 덕분이었습니다. 목표와 희망 없이 사는 것, 이는 나침반 없이 북극을 탐험하는 것과 마찬가지입니다.

그렇다면 버킷리스트는 뭘까요? 죽기 전에 해보고 싶은 일들을 적어 놓은 것을 흔히 버킷리스트라고 생각합니다. 해보지 않고 죽으면 후회할 것 같은 일들 혹은 은퇴하고 꼭 하고 싶은 것들이라고 말입니다.

뜬금없는 질문을 하나 하겠습니다.

"당신은 왜 사십니까?"

질문을 들은 많은 사람이 고민하다가 한참 후에 대답합니다. "행복하게 살려고 사는 것이지요."라고 말합니다. 또 묻겠습니다. 그럼 행복은 무엇입니까? '그냥 잘 먹고 잘사는 것이지요……' 답이 궁색해집니다. 저에게 '왜 사느냐?'고 묻는다면 저는 이렇게 답하겠습니다.

"내가 하고 싶은 것을 하려고 살지요!"

그렇습니다. 자신이 태어난 것은 부모님이, 조물주가 자신에게 생을 준 것이어서 자신의 의도와는 무관한 일입니다. 생명을 받았기에 그냥 산다는 것은 솔직히 너무 수동적이지 않나요? 좀 더 능동적이고 진취적으로 내 삶을 바라보면 필경 내 삶의 주인 공은 나입니다. 당연한 일이지요. 내가 생명을 받았다는 것은 분명 뭔가 미션이 있을 것이고 뭔가 이룰 것이 있다는 얘기입니다. 그리고 그 이룰 것은 '내가 하고 싶은 것' 그 무엇입니다. 사람은 자기가 하고 싶은 일을 시작할 때 행복의 출발점에 선다고 저는 생각합니다. 그래서 제 삶에서 언제나 제일 중요한 것은 내가 하고 싶은 일이었습니다.

조금 뜬금없는 질문입니다만 살면서 저는 다른 사람에게 수없이 이 질문을 했습니다. 그런데 속 시원하게 답하는 이는 소수였습니다. 저는 결단코 이렇게 생각합니다. 우리 삶의 제일 큰 문제는 자기가 하고 싶은 일을 잊고 사는 것이라고. 아니면 지금의 현실 때문에 미루어 두고 사는 것이라고. 행복도 잊고 즐거움도 미루어 두고 살고 있는 것이지요.

버킷리스트를 가진 것만으로도 달라진다

저는 조그마한 버킷리스트 노트를 가지고 있습니다. 작은 노트지만 하고 싶은 일들이 상당히 많이 적혀 있습니다. 분류도 되어 있습니다. 인생의 중요한 목표가 되는 것이거나 반드시 해야 할 큰일들은 '꿈' 노트로, 한 번이나 몇 번에 끝날 일이거나 기간이 정해져 있는 일들은 '버킷리스트'로, 그리고 일상적으로 자주 하는 것들은 '취미생활'로 말입니다.

실례로 저의 제일 중요한 꿈은 '골프-에이지 슈터 7575'입니다. 골프는 저의 버킷리스트 첫 줄에 적혀 있는 항목입니다. '골프 세계여행'이라는 이름으로 말이죠. 그리고 그 항목 밑에는 실천적 세부 항목이 여러 개 정리되어 있습니다. 틈틈이 일본 전역 골프장을 탐방하고, 미국 100대 골프장을 2025년까지 섭렵하고, 한국 내 골프장을 싹 다 찾아가는 것 등등입니다.

저의 버킷리스트 작성 방법을 간략히 설명해 드릴까요?

- 먼저 은퇴하고 난 뒤 혹은 죽기 전에 하고 싶은 일을 적는 것이 아니라 지금 당장 하고 싶은 일을 적는다. 그래야 내가 살아 있다는 것을 느낄 수 있다.
- 항목을 작성할 때 큰 항목을 적고, 그것을 실천할 수 있는 세부 항목도 적는다. 당연히 세부 항목은 여러 개가 될 수

있다.

- 실행력을 높일 수 있도록 기간(연월 혹은 실행방식 등)을 적는다.
- 아내랑 같이 할 수 있는 항목과 혼자 해야 하는 항목을 제일 큰 분류로 정리한다.

여러분께 다시 묻습니다. 과연 버킷리스트를 무엇이라고 생각하시나요? 제가 내린 버킷리스트 정의입니다. '죽기 전에 해야 할 일이 아니라 지금 당장 해야 할 일을 적어 놓은 것, 지금 실천해야 내가 살아있다는 것을 느끼는 것, 나아가 내 삶의 방패막이자 행복을 퍼 올리는 샘물'이라고.

세상에는 두 부류의 사람이 있습니다. 버킷리스트를 가진 자와 가지지 않은 자. 혹시 아직 버킷리스트가 없다면 작성해보는 것은 어떠신지요. 버킷리스트를 가진 것만으로도 당신의 인생이 바뀔 것입니다.

2장

차와 커피가 주는 삶과 여유

1
알아야 원하는 것을 얻을 수 있다

20년 전 즈음이었습니다. 이른 아침 6시에 브라질의 상파울루 국제공항에 내렸습니다. 저는 그 전날 저녁 미국서 출발한 비행기 속에서 밤참도 안 먹고 잠에 빠져 있었습니다. 미국에서의 비즈니스가 정신없이 돌아갔고 저에게는 먹는 것보다 잠이 더 절실한 상황이었거든요. 멍한 얼굴로 공항 대합실로 나오니 현지인 브라질 이민 2세가 반겨주었습니다.

왜 그런지를 찾으면 답을 만난다

주차장 쪽으로 이동하는데 공항 대합실 모퉁이에 있는 가게의 샌드위치가 눈에 들어왔습니다. 출출하던 참에 간단히 샌드위치로 아침 요기라도 하려고 커피와 함께 주문했습니다. 허기가 진 탓이었는지 샌드위치가 꿀맛이었습니다. 그런데 제 눈을 번쩍 뜨게 만든 일이 벌어졌습니다. 세상에! 이제껏 제가 먹어 본 커피 중에서 제일 맛있는 커피가 거기 있었습니다.

"아니, 어떻게 이렇게 맛있는 커피가?"

"여태 내가 먹어본 커피 중에서 제일 맛있는 커피야."

"이런 허름한 가게에서 내어 온 커피가 이렇게 맛있을 줄이야, 놀라운 일이야."

커피에 대한 찬사가 나도 모르게 줄줄 쏟아져 나왔습니다. 그런데 더 놀라운 일은 마중 나온 교포 2세가 당연하다는 듯 시큰 둥하게 대답했습니다.

"여기는 어딜 가도 커피가 다 맛있어요."

제 생애에서 제일 맛있는 커피를 접했건만 현지인의 저 시큰 둥한 태도는 뭘까? 하고 고개를 갸웃거렸습니다. 설명을 듣고 보니 이해가 됐습니다. 현지에서 갓 생산한 싱싱한 원두를 사용 했기에 당연히 맛있을 수밖에 없다는 것입니다. 그들은 매일 그 렇게 맛있는 커피를 마시고 있었습니다. 커피 생산국 브라질이 부러웠습니다.

출장을 마치고 돌아오는 길에 그 당시 브라질에서 제일 맛있 고 유명한 이과수 캔(가는 분말로 된 커피) 커피 한 박스를 통째 사 왔습니다. 주변 사람들에게 브라질 커피 얘기를 해주고 이과수 커피를 하나씩 선물했습니다. 세상에서 제일 맛있는 커피를 선물한다는 마음에 흡족했습니다.

그런데 이과수 캔 커피는 하루, 이틀, 1주일, 2주일이 지나면서 맛이 점점 엷어져 갔습니다. 내가 맛있는 커피에 익숙해져 있어 그런가? 왜 그러지? 커피가 변할 리가 없는데……. 그때는 왜 커피 맛이 변했는지 몰랐습니다.

비슷한 경험이 또 하나 있습니다. 스리랑카의 수도 콜롬보에 출장 가서 현지에서 제일 이름난 '실버 리프Silver Leaf'이라는 차(녹차)를 사 온 적이 있습니다. 현지인들 한 달 월급을 주고 산 고가의 차였지요. 이 차도 비슷했습니다. 처음 개봉했을 때 품위가 있고 깊은 향을 풍겼는데 시간이 지날수록 맛이 점점 엷어졌습니다. 그때는 그 이유를 몰랐습니다. 중국 상하이의 백화점에서 산 고급 재스민도 비슷했습니다. 처음에는 놀랄 만큼 맛있지만 시간이 지날수록 풍미가 사라졌습니다.

그 이후 나름 차에 조예가 있는 지인에게 맛있는 커피와 차가 점점 맛이 없어지는 이유를 물어보았습니다. 그는 당연하다는 반응이었습니다. 커피를 포함해서 모든 차는 공기 중의 산소와 만나면 산화작용을 일으켜 시간이 지날수록 싱싱함을 잃어간다는 것입니다. 아하, 그걸 모르고 괜히 비싼 돈을 들여 고급 차를 많이 사 왔구나 하고 뒤늦게 무릎을 쳤죠. 차뿐만 아니라 대부분의 식품은 산소에 오래 노출되면 문제가 생긴다는 걸 알게 되었습니다.

그럼 어떻게 하면 싱싱하고 맛있는 커피를 마실 수 있을까요? 매번 브라질로 날아갈 수는 없겠지요. 커피 공부를 다시 시작했습니다. 책을 통해 공부도 하고 주변 사람들에게 자문도 구하면서 몇 년에 걸쳐 드디어 답을 찾았습니다. e-POD 커피가 신선도가 제일 좋았습니다. 이 커피는 손바닥보다 작은 동그란 부직포 안에 커피를 갈아서 넣어 e-POD 전용 추출기에서 신선한 커피를 뽑아내는 방식입니다. 뜨겁고 강한 스팀으로 추출하는 방법인데, 요즘은 널리 애용하는 에스프레소 캡슐 커피와 비슷합니다. 당연히 이 e-POD는 한 개 한 개 낱개로 진공포장이 되어 있는 것이 최고입니다.

아는 만큼 원하는 것을 얻는다

커피 공부를 하면서 이런 의문이 들었습니다. 산소를 만나더라도 계속 맛을 유지시켜 주는 차는 없을까? 차는 산화작용 앞에서는 언제나 무릎을 꿇어야만 하는가? 물론 우연한 기회였지만 그것도 답을 찾았습니다. 바로 중국이 자랑하는 보이차가 그것입니다. 보이차는 후발효 차라서 시간이 지나면 지날수록 그 맛이 깊어집니다. 같은 차창의 제품이면 빈티지에 따라 값이 몇

배 차이가 납니다. 현재 제가 가장 즐겨 마시는 차가 바로 이 보이차입니다.

그러면 보이차 때문에 지금 커피는 멀리하고 있는가 하면 그건 또 아닙니다. 아침 식사 후 한잔의 커피는 포기할 수 없습니다. 커피는 커피고 보이차는 보이차이니까요. 커피와 보이차는 또 다른 얘기입니다. 저의 커피 취향은 e-POD 커피, 캡슐 커피를 거쳐 또 한층 진화했습니다. 지금은 일반 커피(아메리카노)보다 훨씬 맛과 깊이가 있는 드립 커피를 즐깁니다.

드립 커피 가격이 아메리카노보다 좀 더 비쌉니다만 건강에는 필터를 사용하지 않은 커피보다 좋다고 합니다. 20년간 커피를 내리는 방식과 건강과의 관계를 연구한 유명한 논문입니다. 스웨덴 예테보리 대학교 연구진이 20~79세 사이의 건강한 남녀 5만여 명을 대상으로 추적 관찰한 결과 드립 커피를 마시는 이들은 커피를 마시지 않는 이들에 비해 전체적인 사망률이 15% 낮았다고 합니다. 필터를 사용하지 않은 커피, 즉 에스프레소(아메리카노는 여기에 물을 탐)를 사용해 내린 커피를 마시는 이들의 사망률은 아예 커피를 마시지 않는 이들보다는 낮았지만 드립 커피를 마시는 이들에 비하면 높았습니다. 특히 60세가 넘은 사람은 필터로 여과하지 않은 커피를 마실 경우, 심혈관계 질환으로 사망할 위험이 뚜렷하게 커졌다고 합니다.

이런 차이는 카페스톨 때문이라고 합니다. 커피콩을 고온에서 볶으면 기름이 생기는데 그 주요 성분이 카페스톨입니다. 카페스톨은 항염과 항암 작용도 하지만 콜레스테롤 수치를 높이기도 합니다. 그런데 드립 커피를 마시면 필터로 여과하는 과정에서 카페스톨의 약 95%가 제거되기 때문에 건강에 더 좋은 것이지요. 여러분들에게 맛과 건강을 위해 드립 커피를 강력하게 추천하는 바입니다.

지금 저는 바리스타 수준은 아니지만 유명한 바리스타 선생님으로부터 20회 정도 수업을 받아 아마추어로는 상당한 드립 실력을 가지고 있다고 스스로 자부합니다. 매일 아침 아내는 제가 내려주는 드립 커피로 행복을 시작합니다. 알아야 원하는 것을 얻을 수 있습니다. 열심히 알려고 한 덕분에 제가 좋아하는 차와 커피를 찾았고, 또 아내의 행복까지도 얻게 해줬으니 이보다 더 좋은 게 어디 있겠습니까.

2

삶의 행복도를 높여주는 리추얼을 가져라

저는 사무실에 출근하면 제일 먼저 자사호에 보이차를 5~7그램 담습니다. 그다음 끓는 물을 자사호에 붓고 10초 정도 기다렸다가 처음 우려진 찻물은 차 판Tea Table에다 버립니다. 다시 끓는 물을 붓고 10초~20초 정도 기다립니다. 이 짧은 시간 동안 맛있게 우려나올 보이차의 풍미를 상상하죠. 잘 우려진 보이차를 숙우(熟盂, 차를 한김 식혀서 숙성하기 위한 다구)에 옮겨 담고 앙증맞은 하얗고 작은 보이차 잔을 챙겨 제 자리에 가서 앉습니다. 이제 눈을 감고 천천히 작은 잔에 담긴 뜨거운 차를 마십니다.

자기만의 행복 리추얼을 만들어보자

제 삶의 행복도를 높여주는 또 하나의 리추얼입니다. 보이차와 함께 일과를 시작한 것도 벌써 15여 년이 되었습니다. 특히 저같이 열정이 많고 활동적이고 동적인 사람이 정적인 차 마시는 취미생활을 하고 있다는 것은 참 아이러니하죠. 하지만 저처럼 동적인 사람일수록 이런 정적인 취미생활은 꼭 필요합니다.

　한때 제 사무실을 방문한 손님들이 '보이차를 내려주는 CEO'라고 저를 부르곤 했습니다. 그분들은 저를 활동적인 사람으로 알고 있었는데 사무실에서 보이차를 우려 대접해주니 신기해서 붙여준 별명입니다. 어쩌면 이 취미생활은 사람들 사이에 각인된 나의 이미지를 반전시켜서 뭔가 모를 품위를 유지하게끔 해준 장치가 아닐까 싶습니다.

　여러분은 보이차를 마셔본 적이 있습니까? 마셔보지는 않았어도 그냥 몸에 좋다는 얘기는 들었다, 대신 엄청 비싸다는 차로 알고 있다, 그리고 진품보다 가짜가 훨씬 더 많다 등등 일반적으로 이런 이야기를 많이 합니다.

　보이차는 중국의 최남단 운남성의 보이시普洱市에서 자라나는 대엽종 차나무의 찻잎으로 만든 차입니다. 보이부(부府는 우리나라의 道 정도 크기)는 라오스, 미얀마, 베트남과 접한 국경 지역으로 차 생산에 적합한 기후를 가지고 있는 지역입니다. 일반적으로 유통되는 보이차는 둥근 호떡의 서너 배 크기의 압차壓茶, 즉 위에서 무거운 것을 틀에 눌러서 만든 차이며, 흔히들 떡처럼 만들었다고 병차餠茶라고 부릅니다. 이 병차의 가격은 천차만별이어서 한 편(357그램)에 1~2만 원에서 많게는 100만 원, 1,000만 원을 호가하기도 합니다. 한 편이 357그램인데, 만약 1,000만 원 한다면 금보다 훨씬 비싼 물건이 되지요. 그 정도 비싼 보이차는 대개 발효 기간이 50년을 훌쩍 넘은 고차古茶 중의 고차이며 우리 같은 일반인은 구할 수도 없고 그냥 상상 속의 보이차라고 생각하면 됩니다.

보이차 안에 차마고도 2000년의 역사가 있다

예전에 KBS에서 「차마고도」를 4부작으로 방영한 적이 있습니다. 차마고도란 차를 실어 나르던 옛길을 말합니다. 그런데 왜 차마茶馬일까요? 보이차는 당나라와 송나라 때부터 귀한 차로 알려지면서 중국이나 주변국 각지에서 차와 말의 물물교환이 이루어졌습니다. 보이차를 가득 실은 조랑말이 운남성 보이시를 출발하여 차마고도를 따라 해발 3,000미터의 높디높은 국가 티베트로 길을 떠납니다. 2,100킬로미터 대장정, 6개월간의 그 종착지는 바로 티베트의 수도 라싸입니다. 그곳에서 티베트의 넓은 들판에서 자란 훌륭한 말과 보이차를 서로 교환하는 것이죠.

그러면 왜 티베트인들은 비싼 말을 보이차와 맞바꿨을까요? 해발 3,000미터 이상의 고원지대에 사는 티베트인들은 주로 야

크의 젖과 고기를 먹고 삽니다. 그들에게 절대 부족한 것이 바로 비타민입니다. 신선한 채소와 과일 섭취가 불가능했는데 식물성 비타민을 보충해 주는 것이 바로 차였던 것입니다. 그래서 티베트에서 차는 피요 살이요 생명과도 같은 것이므로 이 보이차를 흑금자黑金子, 즉 검은 황금이라 불렀다고 합니다.

그런데 보이차 병차는 왜 한 편에 357그램일까요? 여기에는 보이차 2,000년 유통의 역사가 숨겨져 있습니다. 보이차를 운반하기 위해서 병차 일곱 편을 대나무 죽순 껍질로 싸서 하나의 통으로 만듭니다. 그래서 한 통당 무게는 2.5킬로그램(7 × 357그램)이 됩니다. 이것을 조랑말의 양편에 12개씩, 즉 한쪽에 30킬로그램씩 양쪽에 60킬로그램을 싣고 차마고도를 오른 것입니다. 먼 길을 나서는 조랑말이 가장 잘 견딜 수 있는 최적의 무게가 바로 60킬로그램입니다. 357그램의 비밀 속에 차마고도 2,000년의 역사가 살아 숨쉬고 있습니다.

보이차는 오랜 세월 많은 이들에게 사랑을 받으며 역사를 이어왔습니다. 단순히 '차 맛이 좋아서 차를 즐긴다.'라는 것을 넘어서는 그 무엇이 있는 것 같습니다. 보이차와 함께하는 저의 아침 의식은 삶의 여유입니다. 소소하지만 소중한 시간입니다. 여러분은 이 글을 읽고 한번 보이차에 도전해 보고 싶은 욕심은 없으십니까? 보이차가 아니더라도 삶의 행복도를 높여주는 자기만의 의식을 가져보는 건 어떨까요. 여러분의 행복을 위해 보이차를 추천합니다.

3
각각의 세계에는 엄청난 깊이가 있다

제가 보이차와 만난 것은 15년 전 즈음의 일입니다. 비즈니스로 잘 아는 분의 사무실을 방문했다가 우연히 난생처음 보이차를 얻어 마셨습니다. 그분은 보이차를 통해 건강을 되찾았다며 강력하게 권유했습니다. 그러면서 그날 저에게 가장 아끼던 30년 넘은 비장의 보이차를 대접해주셨는데 그 맛을 잊을 수 없습니다. 뭐랄까 보이차는 식물성임에도 불구하고 수십 년간 발효해 온 곰팡이 맛으로 인해 살짝 동물성 풍미도 가지고 있었습니다. 찻잎에서 어떻게 이런 맛과 향이 날 수 있는지 의아했습니다. 아무리 시간의 힘을 빌었다고 해도 식물이 갖기 어려운 맛이었죠. 그날 마신 보이차는 그 풍미와 더불어 차 본연의 향기를 느끼게 해주는 아주 기가 막힌 맛이었습니다.

차의 세계는 빠져들수록 그 깊이가 엄청나다

그날 이후 보이차에 빠져들었습니다. 물론 그분의 도움을 받아 '지유명차'라는 보이차 전문가게에서 보이차랑 차를 우리는데 필요한 여러 도구, 즉 차판이랑 자사호, 숙우, 찻잔 등을 구입했습니다. '보이차'라는 새로운 세계에 입문한 것이죠. 여러분도 혹시 보이차에 입문하시고 싶으면 '지유명차'를 찾으십시오. 이 가게는 보이차를 정가제로 운영하는 프랜차이즈입니다. 그러기에 일반인들이 믿고 보이차나 다기를 살 수 있는 곳입니다. 물론 보이차를 마시기 위한 주변 물품도 이 집을 통해 간단한 컨설팅을 받으면 됩니다. 더구나 보이차를 우리는 방법이나 기타 궁금한 사항도 지유명차를 운영하시는 분들에게 물으면 답해드릴 겁니다. 저도 그렇게 해서 입문했으니까요.

커피도 그렇고 홍차도 그렇고 모든 차가 그렇듯이 각각의 세계는 엄청난 깊이가 있습니다. 보이차는 그 깊이와 넓이 측면에서 타의 추종을 불허할 만큼 어마어마합니다. 이 세계에 발을 들여놓는 순간부터 저절로 보이차를 더 잘 알기 위해 관련 책도 읽어보고 인터넷도 뒤지고 좀 더 합리적인 가격에 정품을 사기 위해 여러 전문 숍도 방문하게 되었습니다. 특히 신경 쓰이는 것이 가격이었습니다. 비싼 보이차일수록 가짜가 많다고 들었는데 공부해 보니 보이차에는 가짜가 없습니다. 가짜도 그냥 보이차입니다. 다만 빈티지나 유명한 차창 이름을 도용한 것이지요. 그래서 처음에는 저도 한 편(357그램)에 10만 원 정도의 보이차로 시작했습니다. 한 편은 머그잔으로 300잔 정도 나오니 10만 원이면 1잔에 300~400원 정도라 생각하면 됩니다. 그래서 두 번째 구입할 때는 1잔에 1,000원쯤 하는 30만 원짜리를 구입했습니다. 그러다가 우연한 기회에 중국에서 보이차 도매상을 하는 분을 소개받았고 현재는 꽤 저렴한 가격으로 질 좋은 보이차를 마시고 있습니다. 대략 10종류 정도 보이차를 매일 돌아가며 즐기고 있습니다.

그런데 언제나 고민은 과연 얼마짜리가 맛과 건강을 극대화시켜 줄 것인가이죠. 즉 가성비를 생각하게 되는데 가격이 비싸다고 건강에 더 좋은 것은 절대 아닙니다. 하지만 발효식품이기에 좀 더 오래 발효된 것이 몸에 좋은 것은 당연한 이치이겠지요. 보이차를 숙성하고 발효시키는 것이 흑군균(곰팡이의 일종)인데 이것이 건강에 도움을 줍니다. 흑군균은 우리 메주를 발효시키는 곰팡이의 일종이라고 생각하면 됩니다.

오랜 숙성을 거친 보이차에는 다양한 성분이 함유되어 있습니다. 비타민C, 비타민E, 아연, 나트륨, 마그네슘, 갈산, 카테킨 등이 있어 영양 불균형을 예방하고 인체의 건강 유지, 체질 개선, 식이요법 등에 도움이 된다고 합니다. 특히 폴리페놀 성분인 갈산이 일반 녹차의 약 14배나 함유되어 있어 체내의 단백질과 지방을 분해해서 몸에 축적되지 않도록 도와주어 다이어트에 좋습니다. 더구나 이 갈산은 산화, 분해, 합성 작용으로 암세포를 억제하고 없애는 데 도움이 된다고 합니다. 또한 카테킨 성분과 비타민E는 인체의 노화를 억제하는 데 도움이 됩니다. 그리고 보이차를 꾸준히 마시는 경우 혈관이 이완되고 혈압이 내려가서 심박수와 혈류량이 감소되어 고혈압과 뇌동맥경화 치료와 예방에 도움이 된다고 알려져 있습니다.

차를 마시는 것만으로 좋은 사람이 된다

보이차를 오래 마신 것이 건강을 지키는 데 많이 도움이 되었다고 저는 생각합니다. 보이차를 즐겨 마시는 많은 분이 비슷한 얘기를 합니다. 저의 경우 적절한 체중 조절은 물론이고, 특히 혈관 쪽에 아주 좋은 영향을 끼쳐 건강검진 시 혈관 쪽은 항상 만점을 맞는 편입니다. 어머니가 혈관 관련 병으로 오래전에 돌아가셔서 저 역시도 혈관 쪽은 언제나 신경을 많이 쓰는 편이지요. 매일 마시는 보이차가 혈관 건강에 도움을 주었다고 확신합니다.

보이차를 마시면서 저에게 좋아진 점 몇 가지를 소개해 드릴까 합니다. 먼저 사무실에서 차를 우려주고 마시는 덕분에 사람들이 저를 '차를 좋아하는 사람'으로 인식하면서 예전보다는 좀 더 부드러운 사람으로 생각하게 되었다는 점입니다. 더불어 많은 분이 저를 찾아오면서 선물로 차를 가져오고 덕분에 여러 종류의 차를 즐기게 됐습니다. 지금은 사무실 탁자 위에 여러 종류의 차 메뉴판을 만들어 놓아서 오시는 분들에게 차를 골라 마실 수 있도록 하고 있습니다. 고급 보이차, 드립 커피, 홍차(오가피차), 설국차(야생국화), 호지차(일본 볶음차), 오미자차, 유자차, 애플 시나몬, 돌배차 등입니다. 메뉴판의 제일 밑에 '모두 무료All Free'라고 적혀 있습니다. 메뉴판을 보고 다들 즐거워합니다.

둘째, 보이차는 말씀드린 대로 역사가 오래됐고 그 깊이와 넓이가 있어서 지적 호기심이 발동됩니다. 보이차 공부를 할 수밖에 없고 자연스럽게 차에 대한 식견이 넓어집니다. 차를 마시면서 대화 소재로 삼을 수도 있습니다. 와인을 마시면서 와인 이야기로 스몰 토킹을 하듯 보이차로도 많은 대화를 나눌 수 있습니다.

셋째, 아내나 가족들과의 대화가 늘어났다는 점입니다. 가족들과 같이 보이차를 마시게 되면 적어도 한 시간 정도는 모여 있게 됩니다. 자연스럽게 가족 간의 대화가 많아집니다. 멋진 일이지요. 그리고 직선적이고 가부장적이었던 제가 손수 차를 우려서 정성스럽게 대접하니 가족들이 저를 새롭게 보더군요. 보이차를 우리는 데는 정성이 필요합니다. 시간 맞춰 조심스레 차를 우리고, 각자의 작은 잔들을 뜨거운 물로 데우고, 차 받침을 하나하나 받쳐 서빙하는 모습……. 그런 저의 동작 하나하나를 지켜보고 있는 가족들의 시선과 표정을 상상해 보십시오. 보이차가 우리 가족의 행복도를 높여준 것은 확실해 보입니다.

3장
식도락이 바꾸어 놓은
일의 자세

1

해외 비즈니스는 입에서 시작한다

세상에는 수많은 음식이 있고 그 다양성을 수용할 때 삶은 훨씬 풍요로워진다는 믿음이 저에게 있습니다. 이런 믿음은 몇 가지 특별한 기억 때문입니다. 오래전에 고 임지호 선생의 식당에 간 적이 있습니다. 그 식당에는 '음식은 종합예술이고 약이며 과학이다.'라는 문구가 적힌 현판이 걸려 있었습니다. 음식에 대한 경외를 느끼게 해주는 경구였습니다.

저는 5남매의 막내로 성장했고 우리나라의 성장기와 더불어 젊은 시절을 살아왔습니다. 어린 시절의 제일 아픈 기억은 배고픔이었습니다. 우리가 모두 없던 시절이었고 다 같이 세 끼 밥을 잘 먹기 위해 치열하게 살 때였습니다. 항상 먹을 것이 부족했고 하루 세 끼를 다 배불리 먹지 못하는 날이 더 많았던 것 같습니다. 그런 연유로 음식에 대한 불평은 전혀 있을 수가 없었고 하루 세끼를 배불리 먹은 날은 행복했습니다. 그 시절 음식은 배고픔을 채워주는 삶의 생존과 직결되는 것이었지요.

중학생 1학년 때였던 듯합니다. 우연히 그 귀하고 귀한 '삼양라면'을 하나 구해서 연탄불 위에 양은 냄비를 올려서 삶아 먹고는 너무 맛있어 눈물까지 흘린 적이 있었습니다. 제 인생에서 맛있는 음식에 대한 첫 번째 기억입니다. 꼬들꼬들한 면발, 고소한 향, 국물 위 자르르한 라면기름은 맛에 대한 최초이자 최고의 향수입니다.

해외 비즈니스를 하려면 현지 음식을 즐겨야 한다

그로부터 20년 정도가 흘러 회사에 입사하고 난생처음 해외로 출장을 가게 되었습니다. 제주도로 신혼여행을 가느라 국내선 비행기를 딱 한 번 타본 적이 있지만 외국행 비행기는 처음이었습니다. 목적지는 이탈리아 밀라노 옆의 자그마한 소도시 베르가모였습니다. 비행기를 타고 가는 데만 하루가 꼬박 걸렸습니다. 밀라노까지 직항편이 없던 시절이라 서울에서 출발하여 홍콩, 두바이, 런던 등을 거쳐 밀라노로 가야만 했습니다. 동남아시아와 중동, 영국을 돌고 돌아 이탈리아로 들어가는 코스였죠.

이렇게 먼 길을 가는 비행기 안에서의 일입니다. 처음 타보는 외국행 비행기였으니 당연히 기내식도 처음이었습니다. 그런데 그 기내식은 진짜 인간이 먹을 수 있는 음식이 아니었습니다. 이상야릇한 모양의 음식과 더불어 역한 냄새까지 풍기는 그야말로 최악의 음식이었죠. 적어도 저에게는 그랬습니다. 그런데 동행한 부장님은 매 끼니 기내식을 쓱싹 잘 비우셨습니다. 저는 음식을 입에 댈 수도 없었는데 말입니다. 그도 그럴 것이 저는 그동안 토종음식들로만 식사해 왔습니다. 그때까지 제게 음식이란 그냥 한 끼를 때우는 것, 배를 채우는 것이었습니다. 밀라노까지 세 번의 기내식이 있었지만 전혀 먹을 수가 없었습니다.

결혼 전 데이트할 때 아내의 제일 큰 바람은 저와 함께 괜찮은 레스토랑에 가서 품위 있게 나이프 들고 고기를 썰어 먹는 것이었습니다. 된장찌개나 김치찌개는 그만 먹자고 아내는 통사정을 했더랬죠. 하지만 저로서는 레스토랑의 음식은 전혀 입에 맞지 않았고 먹는다 해도 식사를 했다는 생각도 들지 않았습니다. 그러다 보니 언제나 아내의 말을 묵살한 토종 중의 토종이었습니다. 그런 토종 앞에 전 세계 사람들이 먹는 기내식은 그야말로 '먹을 수 없는 음식'이었습니다.

이탈리아에 도착하니 더 큰 어려움이 기다리고 있었습니다. 이탈리아식 토종음식 때문에 곤욕을 치러야 했습니다. 한 번은 일행들과 저녁 만찬을 위해 중세풍으로 세련된 레스토랑에 갔는데 화덕에 구운 피자가 나왔습니다. 거기서 피자라는 걸 처음 맛보았습니다. 소시지, 햄, 치즈 등 다양한 것들이 토핑되어 있었는데 너무 느끼해서 입에 들어간 것을 뱉어낼 수밖에 없었습니다. 1980년대 말 즈음이었습니다. 제가 살던 곳이 지방 도시였기에 인터내셔널 음식을 찾아보기 어려웠고, 더구나 제 입맛은 토종음식에만 길들어져 있었기 때문입니다. 요구르트, 화덕 피자, 갖은 채소가 들어간 스프, 크로와상, 와플 등 지금은 참 맛있게 먹을 음식이 그때는 너무 먼 나라의 음식에 불과했죠. 음식 때문에 고생했기 때문인지 이탈리아로 떠났던 1주일 여의 첫 해외출장이 오래 기억에 남습니다.

1주일 이상 식사를 제대로 못 하고 돌아오는 비행기를 탔습니다. 그런데 제 앞에 놓인 기내식이 이탈리아의 토종음식보다는 훨씬 세련된 음식으로 보이는 것이 아닙니까? 몇 가지 음식을 조금씩 맛보다가 궁극에는 게걸스럽게 다 먹고 말았습니다. 기내식은 인터내셔널 음식이어서 누구라도 먹을 수 있는 것이었음을 비로소 깨닫게 되었습니다. 기내식을 다 비우고 허기를 채우고 난 뒤 이런 생각이 들더군요. '해외 비즈니스를 잘하기 위해서는 무엇보다도 입이 먼저 인터내셔널화되어야 현지에서 비즈니스를 잘할 수 있겠구나. 음식 선택의 폭을 넓혀야겠다.'라고 말입니다.

하지만 입이 인터내셔널화가 진행되기도 전에 또다시 엄청난 현실에 직면하고야 말았습니다. 그다음 해 혈혈단신으로 6개월 간 일본으로 연수를 가게 된 것입니다. 그때 당시는 일본이 우리보다 훨씬 앞서 있어서 회사원이면 누구나가 동경하던 것이 일본 연수였습니다. 많은 것을 배우고 내 것으로 만들고 말겠다는 굳은 결심으로 일본행 비행기를 탔지만 일본 땅에 발을 디딘 순간 일본 토종음식은 여지없이 제 발목을 잡고 말았습니다. 너무 달고 너무 짠 데다가 너무도 느끼한 일본 음식은 저를 나락으로 빠트렸습니다. 그때까지 저는 생선회(사시미)나 초밥(스시)은 먹어 본 적도 없었습니다. 일본에서 처음 먹어본 생선회나 초밥은 너무나 담백했기 때문에 제겐 입맛에 맞지 않았습니다. 하지만 이런 음식들이 지천으로 널려 있는 곳이 일본이기에 끼니마다 불편했고 저는 기어이 위궤양 환자가 되고 말았습니다. 어이없는 일이었지요.

어린 시절 음식이 부족해 배불리 못 먹던 제가 음식은 넘쳐나지만 입맛에 안 맞아 못 먹게 될 줄이야 누가 알았겠습니까. 1주일도 아니고 6개월이나 일본에서 살아야 하는 부담감 때문에 음식 취향을 버리고 '무조건 눈 감고 음식을 털어 넣자.'라는 생존의식이 발동하여 막무가내로 먹은 결과가 위궤양이 생긴 것입니다. 음식을 즐기면서 맛있게 먹어야지 생존을 위해 그냥 눈 감고 아무 생각 없이 억지로 먹으면 몸에 무리를 주고 궁극에는 위궤양으로 이어진다는 것을 그때 처음 알았습니다.

그 힘겨운 연수 생활을 한 달쯤 보냈을 무렵, 우연히 선배 한 분을 만나서 제 고충을 털어놓았습니다. 그 선배는 한국 음식을 잘하는 식료품점을 소개해줬습니다. 바로 그날 한달음에 달려가 한국 김치랑 신라면을 사서 숙소로 돌아와 김치찌개 라면을 끓여 먹었습니다. 숙소에서 그걸 먹으니까 갑자기 눈물이 나더군요. 옛날 중학교 시절 먹었던 그 삼양라면만큼이나 맛있는 것이 아닙니까? 그때부터 한국음식이 그리우면 언제나 그 김치찌개 라면을 먹곤 했는데 한두 달 후 위궤양도 사라졌습니다.

음식에 대한 편견을 버리고 다양성을 수용하자

이탈리아 출장과 일본 연수 후 음식과 맛에 대한 뼈아픈 자각이 생겼습니다. '해외 비즈니스는 입에서 시작된다'는 반성과 '내 입에 대한 인터내셔널화를 먼저 진행시켜야 한다'는 성찰이 음식에 대한 저의 생각을 근본적으로 바꾸어놓았습니다. 더불어 우연한 기회에 큰 결심을 하고 담배를 끊게 되었는데 그러면서 담백한 음식의 맛이 조금씩 느껴지더군요. 그때부터 음식에 대한 편견을 버리고 다양성을 수용하게 되었습니다.

그로부터 3~4년 후 가족들을 데리고 일본 주재원으로 그 땅을 다시 밟았습니다. 5년간의 주재원 시절에는 오히려 적극적으로 일본 고유의 음식들을 탐미하는 수준까지 이르게 되었고 자타가 공인하는 음식의 맛을 즐기는 '스스로 미식가'가 되었습니다. 바뀌어도 너무나 많이 바뀐 음식과 맛에 대한 지각입니다. 지금은 제일 좋아하는 음식이 예전에 전혀 입에 대지도 못했던 스시입니다.

2
실패가 풍요로운 세계를 만나게 한다

제가 자주 가는 집 근처 중식당(사실 저는 '중국집'이란 단어가 입에 익어 있습니다) 메뉴에는 여느 식당들처럼 메뉴 첫 장에 A 세트, B 세트, C 세트가 있습니다. 주로 찬 음식에서부터 스프, 메인 요리, 식사 순으로 구성된 메뉴들이죠. 가격대의 차이가 있고, 그 가격대에 따라 음식 가지 수는 한두 개씩 늘어납니다. 많은 사람이 적당한 가격대를 기준으로 A 세트, B 세트를 주문합니다. 실제 그 세트 안에 어떤 메뉴가 들어있는지 꼼꼼히 살피고 자신이 먹고 싶은 메뉴가 있는지는 뒷전이죠.

중국 음식의 메뉴를 잘 알지 못하는 게 제일 큰 이유이지만 그냥 세트 메뉴가 편하기 때문이기도 합니다. 어쩌면 주문하는 사람이 일일이 사람들의 입맛을 다 맞추지 못하는 책임 회피용 메뉴일 수도 있습니다. 어떤 가족들은 간만에 중국집으로 외식을 와서 세트 메뉴도 귀찮으니까 탕수육에 짜장면, 짬뽕으로 습관처럼 주문하고 맙니다. 과연 이 방식이 괜찮은 것일까요? 저는 결사반대입니다.

세트 메뉴 말고 새로운 메뉴를 시키자

많은 사람에게 물어봤습니다. 당신이 자주 가는 중식당의 음식 메뉴가 몇 가지가 있는지 아느냐고요. 대개가 20~30가지 정도라고 답했는데 과연 그럴까요? 지금 이 글을 읽고 있는 여러분은 몇 가지가 있다고 생각하시나요? 조금 괜찮은 중국집은 100여 가지, 허름한 동네 중국집도 50여 가지는 됩니다. 놀랍지 않은가요? 이 중에서 우리는 줄기차게 세 가지만 외칩니다. 탕수육, 짜장면, 짬뽕에 집중하고, 조금 여유 있는 사람들은 세트 메뉴를 시키죠. 도대체 왜 우리는 풍요로운 메뉴를 버리고 습관적으로 메뉴 선택의 범위를 축소해 버리는 걸까요?

몇 년 전의 일입니다. 등산동호회 분들과 호주 멜버른에 여행을 간 적이 있습니다. 하루 종일 그레이트 오션 워크를 트레킹하고 난 뒤에 조별로 멜버른 시내에서 저녁을 먹기로 했습니다. 한 40여 명 정도가 같이 갔기 때문에 다 같이 식사하는 것이 어려워 조별로 나눈 것이죠. 8~9명이 한 조가 되어 흩어졌습니다.

우리 조는 의논 끝에 중국 음식을 먹기로 하고 근사한 중식당을 찾았습니다. 8~9명이 둥근 테이블에 앉아 서로의 얼굴을 쳐다봤습니다. '뭘 시키지?'라는 표정으로 멀뚱멀뚱 서로 쳐다보기만 하고 있었죠.

메뉴판을 살펴보니 당연히 영어로 중국 음식이 적혀 있고 잘 알지 못하는 한자가 설명처럼 붙어 있었습니다. 서로가 당혹해할 때 제가 과감히 나섰습니다. 저한테 맡겨주면 맛있는 중국 요리를 먹게 해주겠다고 공언했습니다. 조원들은 다른 선택지가 없었고, 그쯤 저는 조원들에게 지명도가 있던 터라 다들 흔쾌히 승낙했습니다.

저는 그간의 수많은 경험을 되살려 곧 주문했습니다. 스프 종류부터 시작해서 채소 요리, 전채 요리, 간단한 딤섬 몇 가지, 메인으로는 사람들이 일반적으로 좋아하는 닭고기 요리, 돼지고기류, 해삼과 전복, 관자류 등 사람 수만큼의 요리를 시켰습니다. 10여 가지의 음식을 다 먹고 난 뒤 하나같이 자기가 해외에서 먹어본 중국 음식 중에서 최고였다고 하면서 저한테 감사의 말씀을 주셨습니다. 더불어 어떻게 처음 와본 중국집에서, 그것도 해외에서 이렇게 맛있는 음식을 골고루 시킬 수 있는지 궁금해했습니다.

그 나라의 문화를 알려면 먼저 음식을 알아야 한다

여러분은 궁금하지 않으신가요? 어떤 비법이 있어 그렇게 해외에서도 중국 음식을 잘 시킬 수 있는 것인가 말입니다. 사실 비법은 간단합니다. 누구보다도 시행착오를 겪어봤기 때문이죠. 즉 실패를 많이 해본 덕분입니다. 한때 한 달에 한두 번 정도로 해외 출장이 잦았고 당연히 많은 나라의 갖은 음식을 접해봤습니다. 그 경험이 밑바탕이 됐습니다. 해외 출장할 때 제가 가진 신념은 '절대로 세트 메뉴는 시키지 않는다.'였습니다. 그 나라의 문화를 알려면 먼저 음식을 알아야 한다고 생각했고, 음식을 골고루 먹어보기 위해서는 제가 직접 하나하나씩 메뉴를 선택해 보는 것이 필요했습니다. 당연히 실패도 있었지만 그것 또한 재미있는 경험과 추억이 되었습니다. 더구나 저는 '자기효능감'이 센 사람이라서 제가 주문한 음식이 기대치를 넘어설 때 행복감이 한층 높아지기 때문에 더욱더 골라 먹는 것을 찬양합니다.

지금도 저는 음식에 도전합니다. 자주 가는 중식당에서도 5개 정도 요리를 시키면 그중 하나는 제가 자주 접하지 않았던 음식을 포함시킵니다. 물론 실패할 수도 있지만 그 또한 제가 즐길 수 있는 제 삶의 선택지이자 삶의 풍요라 생각하고 흔쾌히 받아들입니다. 실패하더라도 크게 실망하지 않는 게 저만의 비법입니다.

이 글을 읽으시는 분들은 다음에 중국집에 가면 꼭 그 집 메뉴가 몇 가지인가 헤아려 보시기 바랍니다. 그리고 그중에서 자신이 먹어본 요리가 몇 가지인가도 체크해 보시기 바랍니다. 풍요로운 맛의 세계가 우리를 기다리고 있습니다.

3
터닝포인트를 놓치지 마라

어느 TV프로에서 우리가 잘못 알고 있는 과학적 사실을 보고 깜짝 놀란 적이 있습니다. 학창 시절 학교에서 배웠던 미각에 대한 혀의 맛 지도입니다. 혀끝은 단맛, 양옆은 짠맛과 신맛, 안쪽은 쓴맛이라고 배웠었죠. 다들 '쓴신짠단'이라고 외워서 시험에 임했습니다. 이 TV프로를 보기 전까지는 학창 시절 배웠던 맛 지도를 철석같이 믿고 있었습니다. 그런데 과연 이 맛의 분포도가 사실일까요? 우리는 혀끝에서도 신맛이나 쓴맛을 느낄 수 있으니 이 맛 지도는 틀린 것일까요? 지금 와서 보니 좀 이상하지 않은가요?

요즘 교과서에는 혀의 맛 지도가 나오지 않는다고 합니다. 맛 지도가 맞지 않기 때문입니다. 그렇다면 왜 잘못된 혀의 맛 지도를 배웠던 것일까요? 1901년 독일 과학자 다비트 파울리 헤니히David Pauli Hanig의 말에 따르면 "혀의 끝은 단맛, 앞부분은 짠맛, 옆은 신맛, 뒷부분은 쓴맛에 더 민감"한 것을 발견했다고 합니다. 틀린 말은 아닌데 뭔가 과학적으로 얘기하기엔 부족합니다. 그래서 1942년 미국의 실험 심리학자 에드윈 보링Edwin Garrigues Boring이 헤니히의 연구를 시각적으로 보완한 것이 우리가 배운 혀의 맛 지도입니다. 이 내용이 전 세계적으로 알려졌습니다. 보링도 사람들도 혀가 마치 부위별로 다르게 맛을 느낀다고 잘못 해석했고 수십 년간 전 세계 어린이들이 잘못된 사실을 배운 것이지요.

음식의 맛을 섬세하게 느껴보자

현재 밝혀진 사실은 우리는 혀 속에 있는 감각수용체인 미뢰(돌기)를 통해 맛을 느끼는데 어느 부위에서나 단맛, 짠맛, 신맛, 쓴맛을 느낄 수 있다고 합니다. 다만 혀의 부위에 따라 특정 맛은 조금 더 민감하게 반응합니다. 과학적 사실은 그렇다 하더라도 맛의 미세한 차이를 느낄 수 있어서 우리는 음식을 먹는 기쁨을 누릴 수 있습니다. 그것을 혀가 열심히 하고 있으니 우리는 혀의 역할에 감사해야 하지 않을까요?

저는 스스로를 미식가라고 생각합니다. 미식가는 음식의 맛을 섬세하게 느낄 수 있어야 합니다. 미묘한 맛의 차이를 구분하지 못한다면 음식 본연의 맛을 느낄 수 없고 깊이 있게 즐길 수도 없습니다. 그러고 보면 미식가라고 자처하는 제가 어느 시점에서 혀가 가진 미각을 좀 더 잘 알게 되었을까요? 맛의 개념을 잘 모르던 제가 음식 본연의 깊은 맛을 느끼고 즐기는 수준이 되었을까요?

짐작건대 금연이 미식가로 접어든 터닝포인트인 듯합니다. 젊은 시절에는 하루에 두 갑 이상을 피우던 헤비스모커, 체인스모커였습니다. 그랬던 제가 의사 선생님으로부터 담배를 끊지 않으면 '생명을 보장할 수 없다.'라는 일종의 사형선고를 받고 담배를 끊었습니다. 당연히 몇 달간 심각한 금단현상이 있었습니다. 10일 정도는 그냥 공중에 붕 떠 있는 느낌으로 비몽사몽 흐느적거렸습니다. 또 그때는 사무실에서 담배를 피우던 시절이라서 아예 담배 한 갑을 매일 사서 그냥 입으로 잘근잘근 씹어서 버렸습니다. 그리고 제 차 안에서 누군가가 담배를 피워주면 담배 연기가 고소하고 향기로워서 고맙다고 인사까지 했었죠. 죽을힘을 다해 독하게 금연을 이어 나갔습니다.

몇 달에 걸친 금단현상이 지나자 서서히 입맛이 살아났습니다. 지금 생각해 보면 혀의 미각이 매운 담배 연기로 인해 다 망가져 버렸고, 그래서 부드럽고 연한 것은 맛을 느낄 수 없었던 것 같습니다. 자극이 강한 짜고 매운 맛만 찾다 보니 김치찌개, 된장찌개, 매운탕 종류만 줄곧 찾곤 했던가 봅니다.

궁할 때 터닝포인트도 함께 찾아온다

담배를 끊고 6개월이 지난 즈음 일본 주재원으로 발령이 나서 가족 모두가 일본으로 이사를 했고 그때부터 어쩔 수 없이 맵고 강한 음식보다는 일본식의 부드럽고 연한 음식을 먹게 되었습니다. 날계란도 비리다고 잘 못 먹던 제가 밋밋한 일본 음식을 받아들이기에는 사실 너무 힘들었습니다. 하지만 하루 이틀도 아니고 일상을 그렇게 받아들이고 적응해야 한다는 압박감과 담배를 끊은 것이 주효하게 작용하여 하루가 다르게 미각이 살아 돌아왔습니다.

담배를 끊은 지 1년쯤 지났을 때였습니다. 스시*를 먹는데 그 담백하고 연한 맛뿐만 아니라 맛에 대한 자각을 처음 느꼈습니다.

초창기 일본 주재원 시절은 일본 업계와의 휴먼 네트워크를 개척하느라 하루가 멀다 않고 저녁마다 술 접대가 벌어졌습니다. 1차 접대인 저녁 식사 시간은 그런대로 음식도 점점 익숙해져 견딜 만한데 2차 술 접대하러 가서는 달리 뾰족한 대책이 없

---

* 나는 아직도 초밥이라는 말보다는 스시라는 단어를 더 가깝게 느낍니다. 일본 현지에서 처음 스시를 먹었기 때문일 수도 있죠.

었습니다. 태생이 술을 그리 좋아하지도 않고 잘 못 하기 때문입니다. 그러다가 우연히 지인으로부터 일본 코스요리 음식집을 소개받았습니다. 코스요리를 먹으면서 2시간 넘게 일본 업계 분들과 화기애애하게 얘기를 나누고는 2차 갈 시간이 너무 늦어 1차에서 마무리 지었는데 그 기억이 참 좋았습니다. 전체 접대비용도 따지고 보니 적게 들고, 술도 훨씬 적게 마시고, 접대 시간도 적절하다고 생각했습니다.

그렇게 6개월 정도의 시행착오를 겪은 끝에 저만의 접대 방법을 개발했습니다. 일단 1차 저녁 식사로 접대는 마무리 짓자. 대신 1차 시간을 길게 끌 수 있는 일본 맛집을 찾아 2시간 넘게 식사하면서 간단한 술도 곁들이면서 접대를 마치자. 나름대로 그런 전략을 세우고 일단 주변의 지인들에게 맛집을 묻고 또 물었습니다. 지인 한 분당 한 개 이상의 맛집을 얻었고 그것들을 모으니 나름 괜찮은 맛집 목록이 되었습니다.

그 맛집들을 하나씩 클리어해 나가면서 제 업무도 점점 깊이를 더해 갔고 인맥도 넓어졌습니다. 그것만이 아닙니다. 제 입도 점점 현지화되어 가면서 나름 미각의 세계로 들어가게 되었습니다. 특히 스시에 제일 적합한 와사비 맛을 알게 됨으로써 미각이 회복되었다는 것을 확실히 느꼈고, 미식가의 반열에 들어가고 있다고 자축했습니다.

그 주재원 시절 일본 업계 분들에게 가장 많이 들었던 얘기 하나.

"도쿄에 30년 넘게 산 나도 모르는 요릿집을 어떻게 알고 있지요? 당신 혹시 일본사람 아닌가요?"

궁하면 통한다고, 그렇게 나의 미각은 발전했습니다. 어디 그뿐인가요. 미각의 발전과 더불어 일본에서의 비즈니스도 술술 풀렸으니 일거양득이었던 셈이죠. 사람은 모름지기 궁할 때가 옵니다. 그런데 그때를 그저 위기나 어려움으로만 받아들이면 헤어나기가 쉽지 않습니다. 어쩌면 궁할 때가 터닝포인트일 수 있습니다. 위기를 곧 기회로 만든다는 말처럼 말이죠. 그러니 궁할 때 함께 찾아오는 터닝포인트를 놓쳐서는 안 되겠습니다.

4
먼저 진심으로 대하면 나를 알아본다

　식당에 가면 서빙하는 이모님(저는 그냥 '종업원'이라고 말하기보다는 이 단어를 더 좋아합니다)들이 저를 잘 알아보고 친절하게 대해줍니다. 물론 대부분 제 단골 식당에서의 일이지요. 아무리 맛있는 음식이라도 서빙해 주는 분들이 불친절하고 퉁명스러우면 그 맛도 떨어지는 법입니다. 반대로 이모님들이 맛있는 음식을 친근하게 서빙해 주면 맛이 한층 더 좋아지게 마련이고요.

　저와 같이 단골 식당에 가본 분들은 저에게 묻곤 합니다. 서빙하는 이모님들과 어떻게 그렇게 친하게 잘 지내느냐고요. 친하니까 맛있는 것은 물론 추가 주문한 밑반찬도 제때 가져다주고 친절하니까 대접받는 느낌도 드는데 도대체 친하게 지내는 비결이 뭐냐고 궁금해합니다.

종업원을 함부로 대하는 사람과는 비즈니스하지 마라

이런 일화가 있습니다. 어느 회사의 회장님이 중요한 계약을 앞두고 상대편 임원과 고급 레스토랑에 가서 식사했습니다. 모든 것이 순조롭게 흘렀습니다. 레스토랑 분위기도 좋고 음식도 맛있었다고 합니다. 이제 남은 건 계약서에 사인하는 것밖에 없었죠. 그때 서빙하는 아가씨가 그만 와인을 엎지르는 실수를 하고 말았습니다. 그 순간 상대편 임원이 불같이 화를 내면서 사정없이 아가씨를 닦달하는 것이 아닙니까? 좀 어색한 분위기에서 식사를 마치고 돌아서서 회장님은 조용히 계약서를 찢었습니다. 그 임원의 행동을 보고 다 된 계약을 포기한 것입니다.

"식당에서 종업원을 함부로 대하는 사람과는 비즈니스를 하지 마라."

원래 이 말은 하찮아 보이는 사람이라도 귀하게 생각해주는 사람과 비즈니스를 하라는 말일 것입니다. 하지만 여기에 저는 이 말의 의미를 다르게 해석하고 싶습니다. 거의 성사된 비즈니스도 때로는 함께한 식사 자리에서 망가질 수 있습니다. 그 반대도 있을 수 있습니다. 맛있고 친절한 분위기의 식사 자리 덕분에 의외로 계약으로 이어지지 말라는 법은 없지 않을까요.

당신은 식당에 가면 종업원을 어떻게 대하시나요? 손님은 왕이라고 생각하면서 왕으로서 행동하는가요? 물론 식당에 가면 손님 입장에서는 갑과 을의 관계이고 갑의 입장에서 큰소리를 칠 수 있는 권리를 포기하는 건 쉽지 않습니다. 하지만 생각을 조금 바꾸어서 내가 잘 대해 주면 그쪽도 조금은 더 신경을 써 줄 터이고 그것이 나에게 득이 되는 행동이 아닐까요?

　제가 식당에서 서빙하는 이모님들과 친한 비결은 간단합니다. 서빙하는 이모님들 입장에서 쳐다보면 됩니다. 그들은 무엇을 원하고 있을까요? 서빙해 주는 것이 귀찮으니까 대충대충 일할까요? 아닙니다. 그들도 그곳이 회사이고 그곳이 자신의 삶터입니다. 대충하려는 것보다 즐겁게 하고 싶어합니다. 당연히 그들에게 인격적으로 대해 주면 금상첨화입니다. 저는 더 나아가 자주 가는 식당이라면 되도록 이모님들에게 조금의(?) 금품을 살포합니다. 금품이라 해봤자 1, 2만 원이면 족합니다. 특히 제가 초대해서 총원이 4명 이상이라면 미리미리 눈을 맞추고 팁도 미리 줍니다. 그리고 이렇게 덧붙이죠.

　"오늘 여기 음식 맛있다고 제가 초대한 손님들입니다. 잘 좀 부탁합니다."

　만약 7~8명이 같이 식사하는 자리라면 제가 지불한 팁 이상의 서비스를 받는 것이 분명합니다. 맛있는 밑반찬을 부탁하는 즉시 더 가져오고, 초대한 손님들에게 훨씬 더 친절히 대해주니까 저로서는 남는 장사임에 틀림없습니다.

그러면 이모님들에게 인격적으로 대하는 건 어떤 방법으로 할까요? 그것도 무척 쉽습니다. 진짜 내 이모님한테 대하는 것처럼 하면 됩니다. "와! 안 보던 사이 우리 이모님 더 젊어지셨네?"라든가 "달덩이 같은 이모님 덕에 온 방이 밝아졌어요." 등 처음 봤을 때 칭찬을 한 가지 던지면 됩니다. "내가 오니까 벌써 맛있는 밑반찬 많이 가져오시네. 역시 우리 이모님, 최고야!"도 잘 통하는 인사 방법입니다.

맛있는 음식을 먹으면 반드시 사장에게 고마움을 표시하라

식당에서 손님 대접을 잘 받기 위해 또 한 가지 중요한 포인트가 있습니다. 바로 식당 사장과 친해지는 것입니다. 그런데 사장과 친해지기 위해 금품을 살포하는 것은 밑 빠진 독에 물 붓기입니다. 1~2만 원의 팁으로는 잘 넘어오지 않습니다. 이것도 사장 입장에서 무엇을 원하는지 살펴보면 됩니다. 식당 사장은 무엇을 원할까요? 자주 찾아와서 맛있게 먹고 가는 것? 물론 그건 당연한 것입니다. 그럼 또 무엇을 원할까요? 여러분이 사장이라면 무엇을 바라게 될까요? 그렇습니다. 맛있는 것을 먹고 가는 손님들이 고마움을 표시해 주면 그보다 더 좋은 것은 없습니다.

저는 맛있는 음식을 먹게 되면 반드시 그 집을 나올 때 카운

터에 계신 사장에게 아주 정중히 고개를 숙여 인사를 합니다. "오늘 음식 너무 맛있어요. 다시 오고 싶네요."라고 진심으로 고마움을 표시합니다. 이것이 중요합니다. 진심은 통합니다. 진심 어린 고마움의 표시를 사장은 금방 알아차리고 기쁜 얼굴로 이렇게 말합니다. "다음에 오시면 더 맛있는 걸로 대접할게요!"라고. 그러고 난 뒤 몇 달이 지나 다시 그 식당을 찾아가면 사장은 금방 나를 알아봅니다. 딱 한 번 본 것뿐인데도 자신에게 진심 어린 고마움을 표시한 손님은 저절로 그 눈빛으로 알아보게 되는 것이지요. 그러면서 주방을 향해 말합니다. "오늘 귀한 손님 오셨으니 이 방에 맛있는 거 많이 넣어주세요."라고. 이렇게 몇 번 인사하면 저절로 단골이 되는 것입니다.

식당만 진심이 통하는 게 아닙니다. 이해관계가 얽히고설킨 비즈니스 현장이나 삶의 곳곳에서도 마찬가지입니다. 때로 진심을 보여준다는 게 어수룩하거나 순진무구한 인간에 대한 믿음이라고 날 선 비난을 하는 경우도 있습니다. 하지만 나만의 이익을 좇거나 존재감을 과시하고 감정에 휘둘리는 게 아니라 진심을 보여준다면 상대방의 굳게 닫힌 마음의 문도 조금씩 열리지 않을까요?

4장

만화책 속에서 찾는
삶의 통찰

1

취미생활을 넘어 길동무를 찾자

우리 집에는 저만의 완벽한 아지트가 하나 있습니다. 저의 손길이 묻어 있는 서재입니다. 서재 한복판에는 손님이랑 가족들에게 보이차를 서빙하기 위한 길고 듬직한 호두나무 원목 차판이 자리하고 있으며 앞쪽 벽면에는 오디오 시스템과 스피커가 오붓하게 서 있지요. 오디오 옆 조그마한 선반에는 보이차와 관련 작은 집기가 진열되어 있고 옆쪽 벽면에는 커다란 책장이 한 면을 꽉 채우고 있습니다. 여느 집 책장과는 다르게 제가 직접 디자인해서 만든 책장이지요. 2중 책장으로 밑에 도르래가 달려 있어 앞칸에도 책장이 있고 그 책장을 한쪽으로 밀면 안쪽 면에 또 책장이 있습니다.

책장보다 더 중요한 것은 그 내용물일 것입니다. 책장을 가득

메운 책이 주인공이지요. 그럼 혹시 그 책장의 주인은 책벌레? 맞습니다. 책벌레입니다. 책 읽기가 취미입니다. 한 달에 열 권 이상은 읽죠. 당연히 일 년에 백 권 이상은 읽겠죠. 제가 YES24의 최고 등급인 플래티늄 회원입니다. 빡빡한 일과를 보내는 와중에 어떻게 시간을 내서 책을 그렇게 많이 읽을까요? 사실 다 만화책 덕분입니다. 책장 앞쪽 면에는 품위 유지를 위해 뭔가 그럴듯한 책들이 꽂혀 있고 안쪽 면에는 만화책으로 채워져 있습니다.

만화책에서 창의력과 도전의식을 얻었다

그렇습니다. 제 취미 중 하나가 만화책 읽는 것입니다. 혹자는 그 나이에 무슨 어린애들 보는 만화책을 보느냐고 하시겠지요. 혹시 유아적 취향을 아직 못 버린 게 아니냐고 하실지도 모릅니다. 단언컨대 아닙니다. 깊이가 있고, 인생 공부도 될 만한 성인용 만화책이 엄청 많습니다. 저도 어린이용 만화책은 사절입니다. 앞뒤가 안 맞고 뒤죽박죽인 만화책은 절대 사절입니다. 대신 좋은 만화책에는 아직도 저의 호기심을 유발하는 요소도 많고 잔잔하면서도 담담한 수필처럼 가슴을 따뜻하게 하는 이야기도 있습니다. 더군다나 창의력과 도전의식을 불러일으키는 멋진 내용도 많으며 기상천외한 발상으로 하루의 피곤을 날려버리게 해주는 작품도 많습니다. 그냥 어릴 적 읽던 심심풀이용 책이라고 치부하기엔 최근의 만화책들은 많이 발전했으며, 지식으로 전환할 수 있는 알찬 내용물들이 많습니다.

만화책을 읽으면 스트레스를 해소할 수 있다

몇 년 전에 읽었던 책이지만 기억에 남아 있는 만화책 한 권을 소개합니다. 『어메이징 그래비티Amazing Gravity』라는 과학만화입니다. 말 그대로 놀라운 중력, 흥미로운 중력에 관한 내용인데 상상 그 이상으로 중력에 대한 역사와 원리를 얘기하고 있습니다. 작가는 재미있게도 민족사관고등학교 과학 교사 조진호 선생님인데요, 더 기가 막히는 것은 이 선생님은 물리학과 출신이 아니라 생물교육과 출신이라는 겁니다. 더구나 이 책은 일반적인 작은 사이즈의 만화책이 아니고 큰 사이즈에 무려 312쪽에 달합니다. 책 내용도 인류가 중력에 대해 고민한 역사와 더불어 진행되기 때문에 하룻밤 만에 다 읽기보다는 시간 날 때 야금야금 읽어볼 만한 책입니다.

만화가 어떻게 그렇게 심오한 내용을 전달할 수 있다는 것이 놀랍습니다. 어쩌면 만화책이기에 전달하기 어렵고 지루한 과학 내용을 쉽게 이해될 수 있도록 편집하고 표현할 수 있지 않았을까 하는 것이 저의 생각입니다.

이 책은 실제로 내용의 전개가 아주 재미있고 알기 쉽게 되어 있습니다. 인간이 중력이란 것을 알게 되기까지의 과정과 그 중력이란 것이 우리 인간 생활에서 얼마나 중요한 것인지를 얘기해 줍니다. 지구는 평평하다고 믿었던 먼 고대로부터 시작해서 별의 흐름을 보고 지구와 우주와 행성이 둥글다는 것을 깨닫게 되는 과정, 태양계의 중심은 지구가 아니라 태양이라는 것, 지구의 자전과 공전, 그리고 공전과 자전의 중심에 중력이라는 것이 자리잡고 있다는 것을 알기까지 과학자들과 철학자들의 고뇌와 연구, 실험, 증명을 이야기하고 있죠.

제가 너무 만화책을 치켜세우고 있나요? 스트레스가 너무도 많았던 대기업의 회사생활을 만화책이라는 취미생활이 있었기에 잘 이겨내 온 것은 틀림없는 사실입니다. 만화책은 저에게는 취미생활을 넘어서 인생의 길동무가 아닌가 생각합니다. 이러한 길동무를 하나쯤은 곁에 두고 있어야 하지 않을까요? 단지 시간을 보내는 취미생활보다 나를 알차게 해주는 길동무를 말이죠.

2

유레카를 외치게 하는 취미를 가지자

어른이 되어 어떻게 다시 만화책을 손에 잡게 되었을까요? 아마 그때가 1989년이었을 것입니다. 대기업에 입사해서 실무자로서 한창 정신없이 일할 때였지요. 생애 첫 출장이 결정되었고 장소는 이탈리아였습니다. 지금 여러분들은 믿지 못하시겠지만 그때 당시만 해도 해외 출장은 꿈같은 일이었습니다. 집에서 해외 출장 축하 파티도 하고 주변 지인들에게 자랑도 하는 등 온 집안이 떠들썩해지는 그런 사건이었습니다.

만화책은 재미있는 방대한 지식의 창고다

출장을 며칠 앞둔 어느 날이었습니다. 친구 집에 놀러 갔다가 『먼나라 이웃나라』라는 이원복 교수의 만화책을 접하게 되었습니다. 그때 저에게 이탈리아라는 나라는 너무 생소하고 먼 나라여서 많은 궁금증을 불러일으켰고 여러 자료를 통해 공부하고 있던 참이었습니다. 그런데 마침 그 만화책 안에 친절하게도 유럽의 여러 나라를 소개하는 편 중에 이탈리아가 들어가 있는 것이 아닌가요? 더구나 그 책은 만화책임에도 불구하고 '문화공보부 추천 도서'로 되어 있는 것이 놀라웠습니다. 당연히 저의 호기심을 불러일으켰고 그날 밤을 새워 그 만화책들을 다 읽었습니다.

세상에 이럴 수가. 이탈리아라는 한 나라를 통렬히 이해하게 되었고 메말랐던 제 지식의 저장고에 아주 밑바닥부터 차곡차곡 쌓였습니다. 실로 허무했던 것은 중학교부터 대학교까지 10년에 걸친 '세계사 수업'은 정말이지 수박 겉핥기였다는 생각을 멈출 수가 없었습니다. 유럽의 세계사에 대한 지식이 그 만화책에 읽기 쉽고 이해하기 쉽도록 일목요연하게 정리되어 들어가 있는 것이 아닙니까? 한마디로 '유레카!'였습니다.

출장을 다녀온 후 처음부터 다시 정독해서 그 만화책을 읽어봤습니다. 유럽의 기원에서부터 유럽인의 철학, 역사, 과학, 특히 인종학까지 다룬 방대한 지식의 창고였습니다. 그리고 유럽 각국의 얽히고설킨 자국들의 그 섬세한 의미들까지 담은 작품이기도 했지요. 만화책은 총 6권으로 이루어져 있으며, 유럽 총

편을 시작으로 네덜란드, 프랑스, 독일, 영국, 스위스, 이탈리아 순으로 오밀조밀하고 알콩달콩한 유럽의 역사가 고스란히 들어가 있습니다. 참으로 엄청난 책입니다.

저는 이렇게 생각했습니다. 학교에서 쓸데없이 시간 낭비하지 말고 세계사 시간에는 『먼나라 이웃나라』를 무조건 읽혀라. 그리고 난 뒤 연도 외우기나 주입식 교육을 하지 말고 그냥 느낀 점을 서로 토론하게 하라. 그렇게 한다면 아마 우리나라가 전 세계에서 유럽을 제일 잘 이해하는 나라가 될 것이다. 이런 생각까지 들었습니다. 이 생각이 그저 저의 꿈에 불과할까요?

이 책은 1981년 『소년한국일보』에 연재를 기점으로 시작되었습니다. 그리고 위에서 소개한 대로 1980년대 중후반에 처음으로 6권의 만화책이 일반인에게 선보였습니다. 그 이후 몇 번의 개편과 증편을 거듭하여 드디어 2013년 '에스파냐' 편을 마지막으로 33년의 시즌 1 대장정의 막을 내리게 된 우리나라에선 보기 드문 연작이자 대작입니다. 현재는 『새로 만든 먼나라 이웃나라』 15권으로 위에 소개한 유럽 6개국 외에 일본 1, 2·우리나라·미국 1, 2, 3·중국 1, 2·에스파냐 순으로 이루어져 있습니다. 당연히 여러분께 이 만화책을 강력하게 추천합니다. 교양 도서나 취미 도서를 벗어나 '필독 도서'로 인정하는 바입니다.

저의 만화책 세계가 본격적으로 확장하기 시작한 것은 1990

년 중반 제가 일본에서 주재원으로 생활할 때 일입니다. 일본어를 정식으로 배워본 적이 없어서 일본어를 배울 욕심에 책을 읽기로 생각하고 서점에 들렀다가 우연히 『시마 과장』이란 만화책을 만났습니다. 원래 제목은 '과장시마코사쿠課長島耕作'이며, 시마島는 성姓, 코사쿠耕作는 이름입니다. 이 책이 눈에 띄어 집어 들었는데 엄청나게 재미있었습니다. 섬세하고 뛰어난 필체로 현실적이고 실용적인 내용을 담고 있었습니다. 금방 빠져들었죠. 나중에 알고 보니 재미있게도 그 책은 일본에서 공전의 히트를 친 만화책으로 샐러리맨들이 시마 과장을 모르면 왕따당하는 그런 수준의 책이었습니다. 저에게는 일본어를 배우게 해주었고, 일본 샐러리맨들의 생각과 일상사를 알게 해주었고, 나아가 제가 다니던 회사의 경쟁업체와 업계 전반의 생각과 행동양식 그리고 관련 사업의 역사와 비즈니스 포인트를 알게 해주는 그런 책이었습니다. 시마 과장이 다니는 배경 회사가 '하쓰시바'인데 일본 전자업계의 회사들을 절묘하게 두루 합친 회사입니다.

이 책의 역사를 살펴보면 '일본답다'라는 말이 저절로 나오게 됩니다. 작가는 히로카네 켄시弘兼憲史인데 이미 일본의 유명 인사로 널리 알려져 있었습니다. 『시마 과장』의 첫 출발은 1983년입니다. 그리고 다음 문구를 손이 떨려 쓰지를 못할 만큼 그 역사를 이어가고 있습니다. 지난 2022년부터는 시마 과장이 회장직에서 물러나 고문으로 있다가 사외이사로 지내는『시마 사외이사』가 연재되고 있습니다.

만화책 총 편 수는『시마 과장』이 17편,『시마 부장』이 13편,『시마 이사』가 8편,『시마 상무』가 6편,『시마 전무』가 5편,『시마 사장』16편,『시마 회장』13편이 진행되었습니다. 그 후 연재분인 고문 편은 아직 단행본으로는 나오지 않은 듯합니다. 저의 집에는 당연히 모두가 소장되어 있음은 물론이고,『시마 과장』편은 일본어 원서 그대로이며 나머지는 친절하게도 번역판입니다. 물론 시중에는『시마 과장』도 번역본이 있습니다.

더욱 놀라운 것은 2008년 어느 날「드디어 시마, 사장에 취임하다」라는 기사가『요미우리』와『니혼게이자이』에 실렸으며, 실제 취임 행사를 정계와 경제계의 유명 인사들을 모시고 그것도 호텔에서 거창하게 진행했다고 합니다. 만화책에 나오는 가상의 인물이 사장에 취임했음에도 불구하고 말이죠. 이것이『시마 과장』이란 만화책의 일본 사회 호응이자 실체입니다. 시마 과장은 처음부터 엄청난 이상을 품고 달려온 캐릭터가 아니라 아주 지극히 평범한 샐러리맨이었습니다. 다만 공정하고 합리적으로 행동하며, 회사가 요구하는 목표를 구현하기 위해 전력을 다하는 전형적인 일본 샐러리맨 타입이지요. 그래서 일본인의 마음을 사로잡았고, 단순히 사랑받는 것을 넘어서 일본인들이 존경하고 본받고 싶어하는 인물이 된 것입니다.

시마 사장 편과 회장 편에서는 실제 한국과 일본 전자업계의 현실세계를 절묘하게 묘사하고 있습니다. 2000년 후반 삼성(책 안에서는 '섬상'이라 나옵니다)의 약진에 위기를 느낀 일본의 전자업계가 힘겹게 우리 삼성과 경쟁하는 것을 만화책 밖의 일본 샐러리맨 모두가 박수치며 응원하는 상황이라 말한다면 저의 지나친 상상이 되는 건가요? 제가 느끼기엔 그렇습니다. 이 책을 읽다 보면 일본인의 현실 세계, 사고, 문화, 역사까지 공부할 수 있으며 나아가 일본 샐러리맨이 바라보는 한국, 중국, 인도까지 넓은 상식을 깨닫게 해줍니다. 『시마 과장』과 그 후속 『시마 회장』까지 이어지는 이 시리즈도 강력하게 추천합니다.

자기만의 새로운 세상의 창을 열게 하는 취미를 갖자

다시 또 만화책 여행은 계속됩니다. 『시마 과장』 이후 저는 가끔 서점에 들러 일본 만화책을 섭렵하기 시작했습니다. 일본에서 가장 대표적인 애니메이션이라면 여러분들도 잘 아실 겁니다. 일본 애니메이션계의 거장 미야자키 하야오 감독의 작품들입니다만, 재미있게도 애니메이션만 있는 것이 아니라 만화책도 있습니다. 미야자키 감독의 작품은 히트 치면 당연히 만화책도 뒤이어 나오는 것이지요. 애니메이션만큼 만화책도 재미있습니다. 특히 저한테 이 만화책들은 일본어 공부 목적으로 읽기 시작했지만 새로운 것을 생각하게 해주고 상상의 나래를 펼 수 있게 해준다는 장점이 재미를 더해주었답니다.

이 미야자키 감독의 애니메이션 중 가장 유명한 것은 당연히 「이웃집 토토로」입니다. 이 작품은 감히 최고의 일본 영화라고 불릴 만큼 전 국민의 사랑을 받고 있지요. 이 작품 외에도 우리나라에도 많이 들어와 있는 「바람의 계곡 나우시카」 「원령공주」 「센과 치히로의 행방불명」 「하울의 움직이는 성」 등 작품 모두가 애니메이션임에도 불구하고 일반영화보다 공전의 히트를 쳤습니다.

이 중에서 「바람의 계곡 나우시카」를 가장 먼저 추천하고자 합니다. 이 작품은 애니메이션만 히트를 친 것이 아니라 애니메이션이 나오기 전 만화책으로도 베스트셀러에 오른 역작입니다. 현대 문명사회에 대한 진지한 성찰과 묵시록적 세계관이 담긴 이 작품은 거대 산업문명이 붕괴되고 나서 '자연환경과 인간'에 대한 예언적이면서도 현실적인 주제로 인류의 미래를 그린 걸작이라고 저는 생각합니다.

일본 성인들에게 설문조사 한 결과 가장 좋아하는 혹은 기억에 남는 만화책 1위가 바로 이 『바람의 계곡 나우시카』입니다. 애니메이션 이전에 나온 원본 만화는 총 7권으로 되어 있습니다. 제가 보기에는 애니메이션도 명작이지만 만화책이 내용 자체도 훨씬 깊이가 있고, 내용도 풍부하며 재미도 있습니다. 저에게 딱 한 권의 만화책을 권유하라면 이 책을 꼽겠습니다.

저는 이렇게 만화책에 푹 빠져 있습니다. 어릴 적에는 그리 관심이 없던 만화를 오히려 어른이 된 후부터 취미생활의 가장 한복판에 두고 지내고 있습니다. 앞서 열거한 작품들을 비롯한 여러 만화책을 보면서 유레카를 외친 적이 한두 번이 아닙니다. 그유레카는 제가 모르는 새로운 세상을 접하게 하는 창을 찾을 때나오는 감탄사입니다. 여러분은 새로운 창을 어떻게 여시나요?

3

기다림과 재미를 추구하는 삶이 풍요롭다

제가 제일 좋아하고 존경하는 만화작가는 다니구치 지로谷口ジ
ロ입니다. 초등학교 1학년 때 만화에 심취하여 중학교 시절부
터 잡지에 만화를 투고할 만큼 만화에 대한 열정이 가득한 분이
지요. 24세에 작가로 데뷔해서 거의 모든 작품이 빠짐없이 상을
받을 만큼 대단한 역량을 가진 작가입니다. 애석하게도 2017년
에 작고하셔서 이제는 이 작가의 새로운 작품을 접할 수 없게
되어 너무나 슬픈 일이 되었습니다. 저의 만화책 취미생활의 한
쪽 가슴을 텅 비게 한 듯한 허전함을 느끼게 할 정도로 영향력
이 큰 작가였습니다. 우리가 일본 드라마나 영화로 접한 『고독
한 미식가』는 바로 이 작가의 중년 시절 작품입니다.

이분이 심혈을 기울여 만든 작품으로 저는 감히 피를 토하며

그린 작품이라고 생각 드는 책이 지금 소개해 드릴 『신들의 봉우리』입니다. 제목에서 느껴지듯이 이 책은 인간이 근접할 수 없는 산山에 관한 얘기이며, 그 산에 도전하는 한 인간의 삶을 눈물겹도록 생생하게 얘기하고 있습니다. 책은 총 5권으로 이루어져 있으며, 2편, 3편으로 갈수록 숨이 턱턱 막힙니다. 4편, 5편에서는 책을 손에서 놓을 수가 없어 어쩔 수 없이 밤새 읽고 맙니다.

세계 최초로 히말라야 16좌를 등정한 엄홍길 대장이 이 만화책을 보고 "정복이란 말은 쓸 수 없다. 산이 잠시 내게 허락했을 뿐. 눈이 시리도록 생생한 산경의 묘사에 내 입에서 입김이 서려 나오는 듯하다!"라고 논평할 정도로 그 묘사력이 뛰어납니다. 이 책은 세계의 명산을 하나의 작품처럼, 멋진 사진처럼, 어쩌면 내가 그 산에 있다고 느낄 정도로 잘 그려져 있습니다. 산을 이렇게 정밀하게, 이렇게 감동깊게 그릴 작가는 아마 이 세상에는 다니구치 지로 외에는 없을 겁니다. 여러분께 강력하게 추천합니다! 이건 만화책이 아니고 장면마다 모두 작품입니다. 이 책은 2005년 앙굴렘 국제만화페스티벌 최우수작화상 수상작이기도 하지요.

이 책을 읽고 한때 다니구치 지로에 빠져 이 작가의 책은 모두 읽었습니다. 그런데 놀랍게도 모든 작품이 다 수준급이고 어느 하나도 흠잡을 데가 없었습니다. 단편 수필집이라 할 수 있는 『느티나무의 선물』은 일본 소시민들의 애환을 잔잔하게 그린 명작이고 『아버지』(단편), 『열 네살』(전2권), 『창공』 등도 꼭 추천하는 싶은 작품들입니다. 지금 말씀드린 책들은 일본이나 국제무대에서 모두 상을 받은 작품들입니다.

제가 좋아하는 또 다른 일본 작가가 한 명 있습니다. 바로 일본에서는 너무나 유명한 『기생수』(전8권)의 작가 이와아키 히토시岩明均입니다. 추천하고 싶은 책은 『히스토리에』입니다. 그런데 이 책은 생각만 해도 눈물이 납니다. 책 한 권을 읽고 나면 다음 책까지 무려 1년에서 1년 반을 기다려야 합니다. 아마 일본의 계간지나 월간지에 게재되고 있는 것 같습니다. 현재 11권까지 출간이 되었는데 2005년 4월에 초판(제1권)이 나왔으며 2019년 11월에 11권이 나온 이래로 지금도 12편을 목놓아 기다리고 있습니다.

1년 넘게 기다려 다음 권의 책을 손에 잡았을 때는 온몸을 부르르 떨며 엄청난 갈등에 휩싸이게 됩니다. 지금 당장 전부를 읽을 것이냐, 아니면 천천히 한 장 한 장 섭어 가며 읽을 것이냐를 두고 말이죠. 하지만 갈등은 잠시, 읽기 시작하면 손을 놓을 수가 없습니다. 몇 시간 만에 순식간에 다 읽고 난 뒤 엄청난 후회를 하게 되지요. 또 1년이나 1년 반을 기다려야 하나? 그런데 다음 12편은 현재 3년이 넘었는데 아직 소식이 없습니다. 기다

려야겠지요. 현재 제 삶에서 가장 기다려지는 것이 바로『히스
토리에』의 12편입니다.

이 책은 한국의 만화작가나 에디터와 전문가들이 첫 번째로
추천하는 책입니다. 마케도니아 제국 알렉산더 대왕의 개인 서
기관이었던 에우메네스의 어린 시절부터 대왕의 서기관으로 일
하면서 전개되는 기원전 340년경의 이야기입니다. 이와아키 작
가가 오랜 세월 철저한 고증을 바탕으로 내용을 구상하고 집필
한 책으로써 의미심장한 복선들과 놀랄 만큼의 치밀함이 엿보
이는 스토리, 인물들의 광기와 관련된 여러 사건을 역사적 사실
과 허구를 적절히 섞어 너무나도 멋진 작품을 만들어 냈다고 할
수 있습니다. 아마 여러분들은 이 시리즈 책을 읽고 나면 후회
하게 되실 겁니다. 다음 책이 너무 늦게 나온다는 것을 깨닫고
난 뒤에는.

이 작가의 또다른 책으로『유레카』(단편)가 있습니다. 로마와
카르타고의 전쟁 시절 아르키메데스의 제자가 된 한 천재 카르
타고인의 이야기입니다. 내용이『히스토리에』와 비슷하지만 그
100년 뒤의 지중해 전쟁이어서 또 다른 흥미를 줍니다. 또 하나
추천하고 싶은 책은『칠석의 나라』(전3권)인데, 제가 만화책이
소설책보다 더 재미있다는 것을 확실히 깨닫게 해준 그런 책입
니다. 이 두 책도 역시 최고의 추천작이라 할 수 있습니다.

만화책은 누워 뒹굴며 키득키득하면서 읽을 수 있다

그럼 이제 우리나라 작가로 가볼까요? 당연히 저에게는 허영만 작가가 우리나라의 최고봉이라 말 할 수 있겠습니다. 여러분들이 너무나 잘 아는『식객』(전27권)의 작가인데 종료하고 난 뒤 얼마 안 있어『식객2부』(전3권)도 전체 컬러판으로 출간이 되었습니다. 제가 추천해 드리고 싶은 책은『사랑해』(전12권)와『사랑해2부』(전7권)입니다. 이 책은 스토리 작가 김세영 씨의 놀라운 센스가 엿보이는 작품으로 사랑과 행복에다가 엉뚱함과 폭소까지 쏟아지는 4장의 옴니버스 형식으로 구성된 작품입니다. 읽기 편하고 언제든 어느 권의 어느 페이지에서 읽더라도 상관이 없는 그런 책입니다.

저는 오래전 여름휴가 때 가족들과 함께 산속 오두막집에서 모두가 행복하게 키득키득하면서 이 책을 읽었던 기억이 납니다. 그때 가족들과 휴양림으로 여름휴가를 떠났는데 애석하게도 큰비가 와서 며칠간 옴짝달싹 못 하게 되었습니다. 하지만 마침 만화책을 50여 권 가지고 간 덕분에 가족 모두가 별 불만 없이 만화책을 읽으며 즐거운 휴가를 보냈던 것 같습니다. 가족들이 오두막 방구석 이쪽저쪽에 누워 뒹굴면서 그『사랑해』만화책을 보면서 폭소를 자아내던 기억이 지금도 새롭습니다.

제가 제일 좋아하는 그리고 존경하는 한국 만화작가라면 바로 허영만입니다. 항상 새로운 것을 갈구하고, 그 모험에 따르는 리스크를 즐겁게 받아들이는 작가이지요. 한국 만화계에는 보기 드물게 스토리 작가와 협업해서 만화를 그린 덕분에 크게 유행하며 롱런했다고 할 수 있습니다. 만화 한 컷을 그리기 위해 수십 리 길을 마다하지 않고 달려가서 취재한 성실함과 현장감 덕분에 만화『식객』은 온 국민의 사랑을 받을 수 있었습니다.

이 작가의 또 다른 좋은 작품을 추천하라면 저는『말에서 내리지 않는 무사』(전8권)를 선택하겠습니다. 국민적 반향을 얻은『식객』이후, 작가가 수년에 걸친 준비 끝에 집필한 역작으로 역사상 가장 광대한 제국의 지배자 칭기즈칸이 바로 그 주인공이지요. 칭기즈칸 시대에 몽골인이 집필한『몽골비사』를 바탕으로 수많은 사료들을 조사하고 여러 차례 꼼꼼한 현장 고증을 거쳐 광활한 대지를 누비는 칭기즈칸의 모습을 허영만만의 느낌으로 재구성한 작품입니다.

이 작품을 위해 허영만은 몽골 초원을 누구보다도 잘 그리기 위해 몽골에도 3번이나 다녀왔고 2만 킬로미터에 이르는 현장을 고증했다고 합니다. 작가는 오래전부터 칭기즈칸에 대해 매력을 느끼고 있었고 마지막 역사극을 그린다는 심정으로 작품 활동에 임했다고 합니다. 한 컷 한 컷이 그냥 그려진 것이 없습니다. 유독 전투 장면이 많은 작품이라 단 한 컷에 100명이 넘는 인물들을 그리는 것이 보통 일이 아니었을 것입니다. 독자들은 그냥 눈으로 지나가며 읽는 그림이지만 그리는 이의 입장에선 심혈을 기울인 한 컷이었습니다. 앞으로는 만화책을 봐도 허투루 봐선 안 될 것 같습니다.

지쳐서 리프레시가 필요할 땐 만화책을 읽어보자

제가 추천해 드린 이 만화책들은 지금도 저의 서재에서 언제나 저를 기다리고 있습니다. 다시 읽어주기를 바라면서 말이죠. 물론 몇 번씩 읽은 책도 꽤 있으며, 어떤 책은 후편이 워낙 늦게 나오기 때문에 이해를 돕기 위해 다시 처음부터 읽은 책들도 있습니다. 성인이 아직 만화책에 몰두해 있다는 것이 어찌 보면 부끄럽기도 한 일일 테지요. 하지만 저는 만화책 읽는 취미생활을 자랑스럽게 생각합니다. 리프레시가 필요할 땐 기꺼이 만화책을 손에 잡습니다.

가뜩이나 '빨리빨리'를 외치는 현대 사회입니다. 느긋하게 기다리는 게 자칫 지루하고 낙오된 자의 면모로 비칠지도 모릅니다. 그러나 기다릴 줄 아는 삶의 지혜를 깨닫는 순간 삶은 풍요로워집니다. 빨리 달리다가 놓칠 수 있는 소중한 가치나 존재를 잃어버리지 않기 때문이지요. 재미까지 더하면 두말할 것도 없이 행복하고 풍요로운 삶이 되지 않을까요.

5장

골프로 배운 인생 도전기

1
자기와의 싸움으로 깨달음을 얻다

골프에 관한 격언은 수없이 많습니다. 하지만 저는 그중에서 평범한 격언인 이 말을 가장 좋아합니다. '골프를 치면 칠수록 인생이 생각나고, 인생을 살다 보면 골프가 떠오른다.'라는 격언입니다. 그만큼 골프가 인생을 닮았고, 인생이 그렇듯 아픔과 즐거움이 골프 속에 공존한다는 얘기가 아닐까 생각합니다.

골프는 저에게 어느 날 특명처럼 떨어졌습니다. 1990년 초 일본 비즈니스를 본격화하겠다는 회사의 전략에 맞춰 저는 혈혈단신 일본으로 날아갔습니다. 연락사무소를 만들고 새롭게 비즈니스를 세팅하는 일에 정신이 없을 때였습니다. 그런데 내가 일본으로 부임한 지 4개월 만에 본사의 대표이사가 바뀌었고, 갑자기 신임 대표이사가 일본에 출장을 오신 것이 아닌가요?

1주일 남짓 출장 기간 중 신출내기 사무소장인 나는 대표이사를 보좌하는 데 너무 힘이 들었습니다. 이윽고 마지막 날 둘이서 저녁 식사를 하게 되었습니다. 내심 이제 이 식사만 마치면 어려웠던 시간이 다 지난다는 안도감에 마음을 추스르고 있을 때였습니다.

"자넨 골프 칠 줄 아나?"

"아뇨, 아직 과장 초봉이고 부임한 지 얼마 되지 않아서……."

머뭇거리는 그 대답에 갑자기 그분이 정색하는 게 아닙니까? 신임 대표이사는 골프를 엄청나게 좋아하고 골프를 즐긴다는 얘기는 이미 들어서 잘 알고 있었습니다. 하지만 그 자리에서 골프 얘기가 나올 줄은 몰랐습니다. 더군다나 저는 이제 막 부임한 사무소장이고, 입사 연차도 한참 모자라는 과장이라서 골프를 시작하는 것이 부담이 된 것도 사실입니다.

"지금부터 골프를 시작하시게!"

"아, 네?"

"다음에 내가 2~3개월 안에 다시 출장 올 테니까 그때까지 골프를 칠 줄 알아야 하고 골프 룰은 물론 부킹도 알아서 다 하시게나. 알겠나?"

저는 당혹감에 멀뚱멀뚱 눈만 크게 뜬 채 선뜻 대답하지 못했습니다.

"이런 촌놈! 시대가 어느 시대인데. 더구나 자네는 과장이 아니라 우리 회사를 대표하는 현지 사무소장일세."

이론과 실전은 다르고 시행착오가 실적을 만든다

갑자기 떨어진 특명은 제 인생 최대의 위기였습니다. 친하게 지내던 주변의 다른 회사 주재원들에게 물어도 보고 골프 레슨도 조사해봤습니다. 하지만 일본 어디에도 한국처럼 속성으로 골프를 가르쳐 주는 곳은 없었습니다.

고민 끝에 결심했습니다. '그래. 그렇다면 속성 골프 공부를 하자. 나는 그래도 운동신경이 괜찮은 편이니까 나 스스로 배우면 되지 뭐.' 먼저 한국의 지인에게 서점을 뒤져 골프 관련 서적을 보내 달라고 S.O.S를 쳤습니다. 마침 보내온 골프책은 주문한 대로 골프 게임 룰, 골프 스윙에 관련한 기술 서적, 골프에 관한 역사책 등 골고루 갖춰져 있었습니다.

1주일 만에 대여섯 권을 독파하고 나니 골프 전체가 머릿속에 쏙 들어오더군요. 골프장은 어떻게 이루어져 있고, 골프 룰과 라운딩은 어떻게 하며, 골프 스윙은 또 어떻게 해야 하는 등등 이미 머릿속으로는 싱글(Single Handicapper의 준말)이 눈앞에 있었습니다. 당장이라도 골프 연습을 하고 필드에 나가면 곧 싱글이 될 것이라는 착각이 들었을 정도였지요. 골프는 생각했던 것보다 매력적인 운동이었습니다.

그 속성 과외 덕에 우선은 신임 대표이사의 다음번 출장 시의 골프 세팅과 라운딩은 무사히 잘 마무리할 수 있었습니다. 하지만 골프라는 기상천외한 스포츠는 저를 쉽게 허락하지 않았습니다. 책을 통해 골프를 속성으로 배운 만큼 실전은 저를 너무나도 괴롭혔지요. 이론과 실전은 전혀 같지 않았고 라운딩을 거듭하면 할수록 자신의 모자람을 깨달아 갔습니다. 어찌 보면 젊은 인생이 겪어야 하는 시행착오를 골프를 통해 겪는 것이 아닐까 할 정도로 골프는 인생과 닮아 있었습니다.

지금 와서 생각해보면 그때의 특명이 제 인생의 또 다른 변곡점이 되었습니다. 그 햇병아리 사무소장이 젊은 시절 골프와의 깊은 인연을 맺고, 골프를 통해 좌절과 아픔을 겪으면서 인생을 배우고 더불어 즐거움을 알게 된 것은 엄청난 행운이었습니다. 그러나 하나 분명한 것은 골프는 결코 머릿속으로 쉽게 배울 수 있는 운동이 아니라 수없는 자기성찰을 통해 이겨내야 하는 자기와의 싸움이라는 것입니다. 수많은 연습과 실전을 통해 한 걸음 한 걸음 나아가는 우리네 인생과도 같은 것임을요. 오르고 또 올라도 그 끝에 다다를 수 없는 무엇임을 조금씩 깨달아 가는 과정이 아니었나 생각합니다.

돌아오는 차 안에서 미친 듯이 울어본 적이 있는가?

지금 저는 골프를 참 잘 칩니다. 아니, 어느 모임이든 그 모임의 골프계를 평정하는 고수입니다. 다들 저를 보고 '골프의 신'이라고 부를 만큼 골프는 나하고 딱 맞는 스포츠이지요.

90대 타수를 치려면 가정을 포기해야 하고, 80대 타수를 즐기려면 회사를 포기해야 하고, 70대 싱글을 지키려면 인생을 포기하라는 우스갯소리가 있습니다. 골프의 기준 타수는 18홀×4=72타로 이루어져 있습니다. 싱글이란 싱글 디짓Digit, 즉 핸디가 1자리 숫자인 1~9까지의 핸디캡을 가지는 골퍼를 의미하며, 골프 고수를 칭하는 은어이기도 합니다. 보통의 골퍼는 보기 플레이(핸디 18, 한 홀당 핸디 1개 정도)를 한다고 보면 적당합니다.

한창때 저는 로우 핸디캡퍼(핸디캡이 1~4개 정도)였으니 어쩌면 고수 중의 고수였습니다. 그러다 보니 많은 분에게 "어떻게 하면 골프를 잘 칠 수 있나요?"라는 질문은 수도 없이 들었습니다. 비결은 간단합니다. 여타 삶을 포기하고 골프에만 전념하면 누구나 싱글이 될 수 있습니다. 어때요? 간단하죠? 하하. 어느 사회학자의 '1만 시간의 법칙'이 당연히 골프에도 적용됩니다.

그러나 제게도 아픈 기억이 많습니다. 골프의 몰입도를 높여 한창 물이 올라 싱글이 될 듯 말 듯 할 즈음이었습니다. 그날 골프를 마치고 돌아오는 길이었습니다. 운전하다가 길 한쪽에 차를 세우고는 혼자서 미친 듯이 소리치고 펑펑 운 적이 있었습니다. 그렇게 연습하고 연습했건만 결과는 제가 생각하는 것의 반의반도 못 미치는 수준이었습니다. 분하고 원통했습니다. 더구나 어느 한 홀에서 제 실력을 과신하고 오기와 만용을 부려 싱글은 고사하고 아예 그날의 골프를 망치고 만 것입니다.

차 안에서 실컷 울고 나니 분한 마음이 가라앉고 차분해지더군요. 그때 내면의 소리가 들렸습니다.

'김대희 너, 싱글도 아닌 주제에 싱글인 양 폼 잡고 욕심을 내니 골프가 그 모양이지.'

'근데 너 인생도 그런 것 아냐? 너 회사생활도 그런 것이지? 일하는 능력이 싱글이 아니면서 스스로 착각해서 싱글이라고 주변 사람 하찮게 보고. 나 참! 정신 차려라. 김대희!'

그 깨달음은 제 인생의 많은 것을 바꾸어 놓았습니다. 골프만이 아니라 실제 삶에서도 독선과 아집을 내려놓고 겸손과 도전을 앞세우게 해준 것입니다. 그런데 신기하게도 그때부터 골프가 잘되기 시작했습니다. 진짜 싱글이 된 것입니다. 참 알고도 모를 것이 골프고 우리 인생입니다.

저에게 골프 비결을 물어오는 사람들에게 언제나 속으로 되묻고 싶습니다. "당신은 돌아오는 차 안에서 미친 듯이 울어본 적이 있느냐?"고. 그런데 부끄럽게도 저는 그런 아픈 기억이 몇 번 더 있습니다. 다시는 필드에서는 '연습장에서 마스터하지 않은 샷은 절대 하지 않겠다.'라고 다짐의 다짐을 했건만 트러블에 빠지면 묘한 오기가 작동해서 돌이킬 수 없는 과오를 저지르곤 했습니다. 골프는 절대 즐거운 스포츠가 아닙니다. 많은 사람에게 괴로움을 안겨주는 스포츠일 뿐입니다. 자기 실력 이상으로 과욕을 부리는 골퍼들에게는 말이지요.

그렇습니다. 골프는 바로 우리 인생이랑 맞닿아 있는 스포츠입니다. 골프가 인생이고 인생이 골프입니다. 욕심을 버리고 그냥 즐긴다는 생각으로 한고비씩 받아들이면 인생이 즐거울 것이고 모든 샷에 욕심이 가득 들어간 골프는 참담한 결과를 가져올 뿐입니다.

만약 저에게 골프가 없었다면 과연 33년의 기나긴 회사생활을 누구보다도 열정적으로 살아갈 수 있었을까, 하는 생각을 종종 하곤 합니다. 치열했던 긴 삶에서 골프라는 친구가 옆을 지켜주었고, 골프가 안겨주는 아픔만큼 인생의 깊이를 깨달아 가고 있었기에 회사생활도 더불어 성장한 것이 아닌가 싶습니다. 특명처럼 저에게 다가온 골프는 지금까지도 제 삶의 즐겁고 버거운 동반자입니다.

2
어렵기에 내 인생의 꿈이다

골프는 매력적인 스포츠입니다. 빠지면 헤어 나오기 힘들죠. 저도 골프의 매력에 푹 빠져서 지냈습니다. 한창때는 1년에 100여 번 정도 라운딩을 했으니 주말은 거의 골프장에서 살았다고 해도 과언이 아닙니다. 골프의 치명적인 유혹이 모든 주말을 앗아갔지만 불평하기보다 오히려 그 유혹을 즐기려고 안간힘을 썼다고 해야 맞을 것입니다. 그래서 골프를 좋아하고 즐기는 만큼 주변 사람들에게도 골프를 많이 권했습니다. 이 좋은 골프를 지인들에게 어찌 권하지 않을 수 있겠습니까.

골프는 끝을 정해놓지 않은 도전과 모험의식을 준다

골프 전도사를 자처하고 많은 사람에게 골프의 복음을 전했습니다. 비즈니스 현장에서도 비즈니스는 뒷전에 두고 골프 얘기로 열을 올렸으며 비즈니스 선물도 골프책이나 골프공과 같은 골프용품으로 대체했습니다. 아마 저만큼 주변 사람들을 골프에 많이 입문시킨 사람도 없을 것입니다. 골프도 첫 라운딩에 골프 고수 선배의 지원과 배려가 절대적입니다. 티박스에서는 어느 지점에 티를 꽂고 어떻게 티샷을 해야 하는지, 세컨샷은 몇 번 아이언을 가지고 어느 지점으로 샷을 해야 하는지, 벙커 샷은 또 어떻게 하고, 해저드에 빠진 볼은 어떻게 처리해야 하는지 등등 골프의 기술만이 아니라 골프 룰과 에티켓까지 가르쳐주어야 하기에 만만찮은 에너지가 들기 때문입니다.

고객 중에는 골프를 시작하고 싶지만 여러 가지 상황으로 망설이는 분들이 꽤 있었습니다. 그런 사람들에게 저는 항상 이 질문을 던집니다.

"3년이나 5년 후에도 골프를 안 하고 살 수 있나요?"

3년이나 5년 후에도 고등학교 동창 모임이나 혹은 다른 모임에 나가서 골프를 하지 않고 괜찮은 관계를 지속할 수 있느냐는 물음에 대다수 고객은 고개를 흔듭니다. 이때를 놓치지 않고 골프는 조금이라도 젊었을 때 하면 좋은 이유에서부터 골프를 쉽게 시작하는 방법, 골프란 어떤 운동인가 하는 조언을 합니다. 관련 책을 선물하면 그분들의 고민은 대부분 해결됩니다. 그리고 첫 라운딩을 하게 해주면 평생 저를 잊지 않고 마치 은인처럼 대하지요.

이런 연유로 주변 사람들이 골프 관련된 일이 생기면 저를 많이 찾습니다. 드라이버를 새로 바꾸었는데 왜 안 맞는지, 지금 슬럼프에 빠진 것 같은데 어떻게 하면 극복할 수 있는지, 새롭게 바꿀 골프 클럽 구매는 물론이고 골프장 부킹까지 온갖 문제들을 성심성의껏 들어주고 해결해 왔습니다. 그러다 보니 골프 얘기만 나오면 저를 떠올리고 또 찾으니 비즈니스는 저절로 제 골프 핸디처럼 나날이 발전해 갔습니다.

모든 골퍼의 로망인 에이지슈터 7575가 돼보자

제 인생의 꿈은 '에이지슈터Age Shooter 7575'입니다. 에이지슈터란 골프 라운딩에서 자기 나이만큼 골프 타수를 치는 것입니다. 즉 7575의 의미는 75세에 75타를 치는 것이지요. 골프를 쳐 본 사람은 알 겁니다. 75타를 치기가 너무나 어렵다는 것을. 더욱이 75세에 75타를 친다는 것은 어찌 보면 불가능에 가까운 일입니다. 어렵기에 제 인생의 꿈입니다.

그런데 그저 골프만 잘 치는 것이 인생의 꿈이라고 할 수 있느냐고요? 오해 마세요. 이 에이지슈터 7575에는 인생의 심오한 철학이 들어가 있습니다.

첫째, '건강'입니다. 75세에 골프를 친다는 것은 건강이 따라야 할 수 있습니다. 서는 제 인생의 꿈을 위해 지금도 하루를 거르지 않고 운동을 열심히 하고 있습니다. 적어도 1시간 이상은 골프를 위해 허리 강화 운동부터 스트레칭, 팔굽혀 펴기, 스쿼드 등 맨손으로 할 수 있는 운동을 집에서 하고 있습니다. 이런 상태로 쭉 간다면 장담컨대 75세까지 건강을 지킬 수 있을 것입니다.

둘째는 '재력'입니다. 골프는 귀족 운동은 아니지만 라운딩하기 위해서는 어느 정도 금전적인 여력이 필요합니다. 75타를 치기 위해서는 꾸준히 1주일에 한 번 이상은 필드에 나가야 감을 잃지 않는데 그것은 만만찮은 비용이 들어가는 일이지요. 나아가 편한 부킹을 위해 골프 회원권도 필요할 테니 어느 정도 비용을 감당할 수 있어야 합니다.

셋째는 '골프 실력'입니다. 앞서 말한 것처럼 라운딩에서 75타를 친다는 것은 너무나 어려운 일입니다. 골프를 시작한 사람들 거의 대다수가 평생 75타를 못 쳐보고 마무리 짓습니다. 75타를 칠 수 있는 사람은 극소수이지요. 더구나 그것도 75세에 친다는 것은 진짜 극강의 실력과 골퍼입니다.

마지막으로 제일 중요한 게 있습니다. 바로 '휴먼 네트워크'입니다. 아무리 건강하고 재력이 있다 하더라도 인간관계가 좋지 않으면 주변에 사람이 없고 같이 라운딩할 멤버가 구성이 안 됩니다. 골프는 혼자 하는 운동이 아닙니다. 일반적으로 4명이 한 팀이 되어 라운딩합니다. 매번 친한 고등학교 동창들과만 칠 수 있는 것이 아니지요. 여러 부류의 골프 버디(Buddy, 친구)가 필요합니다. 나이가 들면 들수록 골프 버디는 자신의 제일 중요한 자산이 됩니다.

에이지슈터는 모든 골퍼의 로망입니다. 제 꿈은 그 로망을 이루는 것입니다. 저는 이른 아침의 1번 홀 티박스를 좋아합니다. 아직 아무도 나서지 않은 1번 홀 티박스에 서면 옅은 안개처럼 부드럽게 올라와서 온몸을 감싸는 잔디의 풀 향기가 좋습니다. 골프 코스 그 심연의 알싸하게 퍼지는 유혹에 맞서는 도전 의식과 뭔지 모를 미지의 세계로 빠져드는 모험심이 교차하는 듯한 긴장감이 맴도는 이른 아침의 1번 홀은 치명적입니다.

끝을 정해놓지 않은 도전과 모험 의식을 가진다는 것은 인생의 긴장감을 팽팽하게 만듭니다. 그러나 그렇게 긴장되고 어렵기에 인생의 꿈인 것이지요. 어쩌면 그 꿈이 각자의 인생 동력이자 무한 동력이지 않을까요.

3

비가 온다고 안 갈 수는 없다

제 인생에서 언제나 등대가 되어 저의 앞길을 비춰주는 멘토 님과의 라운딩이 있는 날이었습니다. 클럽하우스에 도착해서 점심을 먹고 있는데 먹구름이 심상찮게 느껴졌습니다. 아니나 다를까 라운딩을 시작하고 몇 홀 지나자 비가 쏟아지기 시작합니다. 다들 계속 골프를 쳐야 할지 말아야 할지 고민스러운 눈빛으로 서로를 쳐다보고 있는데 멘토님께서 툭 한마디 하십니다.

비가 내리는 것도 인생의 일부분이다

"이 정도 비로 골프를 멈출 수 없지. 이것도 게임의 일부야."

멘토님은 엉거주춤 서 있는 우리를 뒤로하고 씩씩하게 라운딩을 계속하시는 것이 아닌가요? 다행히 계절이 봄에서 여름으로 전환되는 환절기라서 비가 그렇게 몸을 움츠리게 만들지는 않았습니다. 오히려 비 덕분에 서로 키득거리며 즐겁게 소풍을 온 마냥 우중 골프를 즐길 수 있었습니다. 물에 빠진 생쥐 꼴이었지만 멘토님께서 씩씩하게 대장 쥐가 되어 우리 모두를 비를 이긴 생쥐로 만들어 주셨지요. 그날 저녁을 먹으면서 그분의 참 멋진 골프 철학을 들었습니다.

"골프는 인생과 똑같다. 길을 가는데 비가 온다고 안 길 수는 없지 않은가? 자연 그대로를 받아들이고 순응하면서 살아가는 것이 인생이고 골프다. 비가 온다고 골프를 포기한다는 것은 내 인생에 걸림돌이 하나 있다고 삶을 포기하는 거나 마찬가지다."

집사람이 난생처음 골프 라운딩을 할 때의 일입니다. 장소는 일본이고 도쿄에서 1시간 반쯤 떨어진 치바현의 퍼블릭 골프장이었습니다. 아내의 첫 라운딩이라 이것저것 골프 룰과 골프 코스의 이모저모, 티박스 활용법 등을 설명하느라 정신없이 서너 홀을 마쳤습니다.

그런데 갑자기 여름 소나기가 쏟아졌습니다. 잠시 그늘집에서 소나기가 지나갈 때까지 기다릴까 생각도 했지만 자연에서 플레이하는 골프를 확실하게 각인시켜 주자는 마음에 그냥 독하게 그대로 진행했습니다. 소나기는 꽤 길게 이어졌고 그다음 몇 홀 만에 우리 둘은 물에 빠진 생쥐 꼴이 되고 말았습니다. 그런 상황인데도 집사람은 흔들림 없이 골프를 이어 나갔고 드디어 전반 9번 홀에 이르렀습니다. 마지막 홀에 오니까 언제 비가 왔냐는 듯이 구름 한 점 없는 하늘이 우리를 맞이하였습니다. 아마 집사람은 그 첫 라운딩을 평생 잊지 못할 것입니다. 골프는 자연에서 즐기는 게임이라는 것과 어떤 일이 있더라도 골프를 중단하는 것은 바보 같은 짓이라는 것을 깨닫게 된 추억이었으니까요.

한 번은 후배 부부와 같이 제주도 골프 여행 갔을 때였습니다. 밤새 한라산엔 눈이 소복이 쌓였고, 우리는 그날 라운딩할 골프장에 어렵사리 시간에 맞춰 도착했습니다. 도저히 골프는 칠 수 없다는 생각으로 일단 골프장에 가보자는 생각으로 왔는데 웬걸요. 해변 골프장이라 그런지 드문드문 녹색 페어웨이가 보이고 그런대로 라운딩할 수 있는 상태였습니다. 마음 내켜 하지 않는 후배 부부를 다독거려 라운딩에 나섰습니다. 물론 집사람은 이미 골프와 자연변화에 대한 정신 무장이 워낙 잘되어 있어 오히려 후배 부인을 안심시키며 라운딩을 시작했지요. 하지만 처음 몇 홀을 빼고는 홀이 지나면 지날수록 돌풍이 불고 눈보라가 치는 것이 아닙니까? 해변이라서 그런지 춥지는 않았지만 싸락눈을 먹은 바람은 거셌습니다.

억지로 몇 홀을 더 진행했고 후배 부인이 이제는 도저히 못

하겠다고 골프를 포기하고 말았습니다. 전반 한 홀을 남기고 말입니다. 그래서 자신은 골프를 안 치겠다고 카트에 앉아서 마지막 홀을 지나는데 참 기가 막히게도 하늘은 점점 맑아지고 햇살이 비치는 게 아닙니까? 전반 마지막 홀 그린에 올라서니 그린위에 있는 흰 눈들이 말끔히 사라지고 멋진 봄날이 우리를 맞이하고 있었습니다. 한 홀 만에 이렇게 극적으로 날씨가 바뀌는 경우는 난생처음이었습니다. 그날 우리는 남은 후반 9홀을 그 어느 때보다 화창한 날씨 속에서 즐길 수 있었습니다. 어떤 일이든 흔들리지 않고 끝까지 나아간다면 의외의 좋은 결과를 얻을 수 있습니다.

어려움을 받아들이면 그 열매는 달콤하다

일본골프 용어 중에 '하레오토꼬はれおとこ'라는 말이 있습니다. '하레'는 '맑다, 개이다'라는 뜻이고, '오토꼬'는 '남자'라는 뜻입니다. 우리말로는 날씨요정, 즉 맑은 날씨를 가져오는 사람이라는 의미이지요. 제가 그렇습니다. 아무리 비가 오는 예보가 있어도 제가 가는 골프장은 비를 절묘하게 피해 갑니다. 아무리 생각해도 저는 하레오토꼬입니다. 앞서도 말했지만, 한창때는 1년에 골프를 100번 정도 쳤습니다. 그런데 100번 중에 비가 오고 바람 불고 눈이 와서 골프를 못 치게 되는 날이 몇 번 정도 됐을

까요? 신기하게도 제 경우는 100번 중 한두 번뿐입니다. 이 얼마나 진짜 멋진 하레오토꼬 인생입니까.

여러분에게 그 비법을 오늘 공개해 볼까 합니다. 평균적으로는 제가 골프 치는 날은 날씨가 말씀드린 것처럼 꽤 좋은 편입니다. 그런데 그다음이 중요합니다. 아무리 비가 오고 눈이 와도 골프장에서 운영을 중단하지 않는 한 저는 골프를 칩니다. 골프는 인생처럼 있는 그대로 자연과의 싸움입니다. 비와 바람과 눈을 받아들이고 즐기는 것입니다. 그러다 보면 날씨는 때가 되면 개는 것이고, 그 이후는 누구보다도 자연을 만끽하며 즐길 수 있습니다. 어찌 보면 외부의 상황은 중요한 것이 아닐 수도 있습니다. 내 마음이 흔들리지 않고 있는 그대로를 받아들이며 순응하면서 자기 길을 가는 것이 하레오토꼬의 정수인지도 모릅니다. 어려움을 받아들였기에 그 열매는 진짜 달콤한 것입니다. 멋지지 않은가요? 여러분은 어느 쪽을 선택하고 싶습니까?

4
실천하며 깊이를 깨달아라

가을 부슬비가 촉촉하게 내리는 날이었습니다. 이 비를 아랑곳하지 않고 두 명의 골퍼가 서로 기 싸움을 하면서 라운딩에 열을 올리고 있었습니다. 그러던 전반 마지막 9번 홀 그린 위 홀컵을 노려보는 한 사내의 눈빛이 심상찮습니다. 드디어 절호의 '버디' 찬스를 맞은 것이지요. 이때 골프장 옆길로 장례 행렬이 지나가고 있었습니다. 그런데 이 사내는 홀컵을 쏘아보던 눈빛을 거두고 갑자기 모자를 벗고 장례 행렬을 향해 경건하게 묵례를 올리는 것이 아닌가요? 같이 라운딩하던 동반자가 의아해서 물었습니다.

"아니, 자네가 웬일로 이 버디 찬스에 집중하지 않고 장례 행렬에 묵례를 다 올리나?"

버디 찬스를 잡은 사내는 목례를 마치자마자 다시 홀컵을 노려보면서 답했습니다.

"응, 내 와이프 장례 행렬이라네."

어느 골프 잡지에 나오는 골 때리는 골프 유머입니다. 이 정도가 되면 골프를 즐기는 것을 넘어 골프에 인생을 건 자들이라고 해야 옳지 않을까요.

직접 라운딩하고 또 골프 책을 읽어보자

골프에는 세 가지 맛이 있다고 생각합니다. 직접 라운딩하면서 느끼는 즐거움이 그 첫 번째입니다. 특히 남들이 잘 가보지 못하는 멤버 한정의 회원제 골프장을 다녀왔다고 자랑을 하기도 하고, 또 누구는 해외의 유명 골프장을 다녀왔다고 사진을 보여주며 골프장 예찬을 늘어놓기도 합니다. 꼭 라운딩해 보고 싶은 골프장들입니다. 또 어떤 이는 연간 라운딩 횟수를 자랑하고, 또 어떤 이는 하루에 72홀을 뛰었다고 자랑하기도 합니다. 다 골프를 즐기는 정통 방식이자 직접 라운딩하면서 골프의 즐거움을 만끽하는 방법입니다.

그런데 대다수의 골퍼들은 이것만이 골프를 즐기는 방법으로 알고 있습니다. 그렇지 않습니다. 그러면 골프를 즐기는 다른 방법은 무엇일까요? 바로 골프 관련 서적을 읽으면서 골프에 대한 룰이나 상식도 넓히고 골프 실력 향상은 물론 일상에서 지친 심신도 달래는 것입니다. 혹시 여러분들은 골프 관련 책을 구하기 위해 서점에 가본 적이 있는가요? 당연히 스포츠 코너에 가면 골프책을 만날 수 있습니다. 그런데 한번 가보면 압니다. 전체 스포츠 관련 책만큼이나 골프 관련 서적이 많다는 것을. 제일 놀라운 것은 골프 관련 기술 서적들이 골퍼들 실력에 맞게 선택할 수 있도록 세분화되어 있다는 것입니다.

초보 골퍼를 위한 책부터 드라이브 멀리 치는 방법, 아이언 정확하게 치는 방법, 절대 쓰리 퍼트 안 하는 방법 등등 수십 가지 책들이 있으며, 수십 명의 전문가가 분석한 내용으로 기술 서적은 마치 만물상을 이루듯 서가에 꽂혀 있습니다. 그런데 이 책들만 있는 것이 아닙니다. 골프 잡지는 또 왜 이렇게 많은가요? 또 골프 관련 유머책들은 어떤가요? 더 나아가 골프의 역사와 유래에 관련한 책들도 빼곡하게 자리를 차지하고 있습니다. 제가 한때 너무나 즐겁게 읽었던 골프 관련 소설도 빼놓을 수 없습니다. 『골퍼와 백만장자』라는 책이 한때 베스트셀러에 올랐는데요. 그 책은 골프의 깊이는 물론 골프를 통한 인생 철학도 깨달을 수 있게 해준 소설입니다. 골프 관련 책들은 왜 이다지도 많고 재미있는지요.

젊은 시절 일을 많이 할 때였습니다. 매일이 전투였고 갖은 업무로 바람 잘 날이 없을 때였습니다. 그때 제 옆을 지켜주면서 그 많은 스트레스를 이기도록 해준 명약이 있었습니다. 매일 이른 아침 출근해서 본 업무에 들어가기 전 30~40분 맑은 명상에 들어가게 해준 것이 바로 골프 관련 서적이었습니다. 골프를 너무나 좋아하는 저에게는 골프 관련 소설, 에세이, 유머집은 잠깐 멈춤을 선사해줬고 이를 통해 폭발하는 업무를 차분히 처리하게 할 수 있도록 심적 여유를 만들어 주었습니다. 그때는 틈만 나면 골프책을 손에 잡았고 그것이 업무의 스트레스를 이겨내게 해주는 청량제였습니다.

프로 골퍼의 라운딩을 관람해보자

골프를 즐기는 또 하나의 방법은 경기를 관람하는 일입니다. 혹시 여러분은 십수 년 전 타이거 우즈의 전성기 시절 경기를 본 적이 있는가요? 특히 타이거 우즈가 리더보드에 올라 있고 역전승을 노리는 4일째 결승 라운딩의 마지막 서너 홀은 진짜 각본 없는 드라마 그 자체였습니다. 인간이 할 수 있는 최고도의 집중력과 승부에 대한 집념 그리고 그 누구도 흉내 낼 수 없는 황제다운 골프 기술력은 상대를 압도하며 짜릿한 역전승을 맛보게 해주었습니다.

마지막 날의 15번, 16번, 17번 그리고 마지막 18번 홀은 타이거 우즈의 진면목을 보여주는 드라마 세트장이었습니다. 그 한 사람의 등장으로 텔레비전 골프 중계는 최고의 시청률을 기록했으며, 미국 골프 산업 자체가 몇 배나 성장하는 성과를 가져왔다고 합니다. 덕분에 골프의 대중화를 앞당긴 것은 물론 골퍼 인구의 폭발적인 증가도 뒤따라왔습니다. 그는 명실상부하게 현존하는 골프황제입니다.

한번은 마지막 라운드에서 타이거 우즈에게 뒷덜미를 잡혀 아쉽게 우승을 놓친 프로골퍼의 인터뷰가 있었습니다.

"타이거 우즈와 마지막 라운드를 같이했는데요. 소감은 어떤가요?"

인터뷰에 응했던 프로골퍼는 일순간 표정이 곤혹스러워지더니 고개를 절레절레 흔들며 대답했습니다. 뭐랄까 다시는 생각하고 싶지 않다는 제스처였습니다.

"음…… 대수술을 받는데 마취 안 하고 수술받는 느낌이었습니다."

저는 타이거 우즈가 프로선수로 데뷔한 1996년부터 빠지지 않고 그의 전 경기를 텔레비전을 통해 관람하고 있습니다. 특히 일요일에 치르는 마지막 날 결승 경기는 '관람'으로서의 골프 매력에 푹 빠지게 했습니다. 미국 PGA 경기라서 한국에서 시청하려면 공교롭게도 월요일 새벽 시간이지만, 마다하지 않고 이른 시간에 일어나 경기를 시청합니다. 텔레비전을 통해 시청하는 골프 경기는 재미와 즐거움은 물론 한 명의 골퍼로서 골프 실력 향상에도 많은 도움이 되었습니다.

골프야말로 삼위일체의 조화입니다. 세 가지 맛을 다 즐길 수 있을 때 진짜 고수가 되는 것입니다. 직접 라운딩하면서 골프를 즐기는 일, 골프 관련 서적을 읽으며 골프의 깊이를 알아가는 일, 그리고 마지막은 프로골퍼의 라운딩을 관람하는 일입니다. 부디 골프의 세 가지 맛을 동시에 즐기시길 바랍니다. 그 맛을 즐기는 게 골프를 몸과 마음으로 실천하는 것입니다. 그제야 비로소 골프의 깊이를 깨닫고 즐길 수 있습니다. 다른 취미나 일도 마찬가지이겠지요. 몸과 마음으로 실천할 때 깊이를 알 수 있습니다. 그러면 또 다른 세상이 열리는 것을 알 수 있을 것입니다.

5
자기만의 비법을 가져라

골프만큼 저를 절망으로 빠트린 액티비티는 없습니다. 골프가 가진 그 치명적인 유혹 너머에는 그 대가를 치러야만 즐길 수 있는 불문율이 있습니다. 골프는 우리 인간이 절대로 극복할 수 없는 높디높은 성벽인 듯합니다. 골프는 너무나 어렵습니다. 초보자는 초보자대로, 고수는 고수 나름대로 그 어려움에서 벗어날 수 없는 것이 골프입니다.

골프를 아주 좋아하는 목사님이 있었습니다. 주말에도 골프를 치고 싶어 아프다는 핑계로 땡땡이를 치곤 했지요. 그날도 주말 예배를 팽개치고 친구랑 라운딩을 즐기는 중이었습니다.

"×× , 또 슬라이스야!"

교회에서는 고명하신 목사님인데 골프 코스에 나오면 여지없이 욕 잘하는 골퍼가 되고 맙니다. 마음대로 되지 않는 것이 골프이고 그 누구도 예외가 없는 것이 골프입니다. 하도 욕을 많이 해대니까 친구가 넌지시 한마디 거듭니다.

"그러다가 하나님한테 혼나고 말걸. 말조심 좀 하시게나."

친구의 말을 무시한 채 목사님의 다음 샷은 그만 뒤땅을 쳤고 볼은 데구루루 몇 미터 못 가서 멈추고 말았습니다.

"이런 젠장! 자네 말 때문에 이번엔 뒤땅이야, ××!"

이때 하늘 위에서 하나님이 참다못해 엄벌을 내렸습니다. 순간 번개가 뻔쩍하더니 목사님이 아니라 같이 라운딩하던 친구의 머리 위로 떨어졌습니다. 그러자 하늘에서 급한 목소리가 들렸습니다.

"××, 또 슬라이스가 났네!"

골프는 하나님도 어찌 못하는 고난도의 운동입니다. 어쩌면 싱글을 치는 사람은 신의 손을 가진 '백만 불의 사나이'인지도 모릅니다. 당신은 그 백만 불의 사나이가 되고 싶지 않은가요? 제가 골프 코스에서 넘어지고 깨어지면서 터득한 저만의 비법을 몇 개 추천해 볼까 합니다.

겸손해질 때 실력이 는다

먼저 '자기 꼬라지를 알아라.'입니다. 보기 플레이어는 보기가 자기의 핸디캡입니다. 어느 날 싱글이 될 수 있는 것은 아닙니다. 많은 사람이 싱글의 흉내를 내거나 자기 실력을 과대평가해서 코스에서 너무 많은 욕심을 부리는 것을 보아왔습니다. 보기 플레이어는 각 홀에서 보기를 목표로 하면 됩니다. 물론 보기보다 한 타 적은 파를 기록하면 좋겠지만 과욕이 화를 불러일으키기 십상인 것이 골프입니다. 보기를 기록하면 '땡큐'이고 파를 기록하면 '이게 웬 떡?'이라고 받아들이기 시작할 때 비로소 보기플레이를 극복할 수 있는 길이 보이는 법입니다. 제가 예전에 보기플레이를 극복할 때의 비결이었습니다. 자기 실력을 똑바로 알고 골프 코스에 겸손해질 때 실력은 날로 발전하는 것입니다.

연습, 연습, 또 연습하라

두 번째는 '연습만이 살길입니다. 연습, 연습 또 연습하라.'입니다. 골프 실력은 연습 횟수와 비례합니다. 누구나 다 아는 얘기지만 그 누구도 이 공식을 넘어서지 못합니다. 골프황제 타이거 우즈도 끝없는 연습만이 정상을 지키는 길이라고 확신하며 그 공식을 따른 결과 황제 자리를 오랫동안 유지할 수 있었습니다. 많은 사람들이 연습이라는 노력을 쏟지 않고 골프 잘 치기만을 원하고 있는 건 아무런 노력도 하지 않고 나에게 멋진 변화가 오기를 바라는 바보 같은 생각일 뿐입니다. 저 역시도 1주일에 서너 번은 연습장에서 땀을 흘렸기에 싱글이 될 수 있었습니다. 왕도는 없습니다. 연습만이 살길입니다.

세 번째는 적당한 '긴장을 즐겨라.'입니다. 골프 라운딩 시에는 긴장해야 하는 순간들이 비일비재합니다. 특히 1번 홀의 티샷 그 누구도 긴장하지 않을 수 없으며 해저드 바로 너머에 있는 핀을 공략할 때 평상심을 잃는 것은 당연한 일입니다. 마지막 승부가 걸린 1미터 남짓 거리의 퍼트는 또 어떤가요? 저는 수많은 골퍼들이 이 긴장감을 못 이기고 무너지는 것을 너무나 많이 보아왔습니다. 저 역시도 예외는 아닙니다. 하지만 역발상을 해본다면 어떨까요? 긴장감이 없는 골프 경기는 김빠진 맥주요, 팥소 없는 찐빵일 것입니다. 긴장감이 있기에 골프가 매력적이고 재미있는 것입니다. '피할 수 없으면 즐겨라.'라는 말이 있지 않습니까? 그 긴장감을 받아들이고 즐길 수 있을 때 1미터 거리의 퍼트는 신들린 듯이 홀에 빨려 들어가는 것입니다.

연습 노트에 적어라

마지막 추천하고 싶은 비결은 '자기 노트를 가져라.'입니다. 이 노트는 특히 연습할 때 요긴하게 쓰입니다. 저는 많은 골퍼가 연습장에서 연습은 안 하고 운동하는 것을 보아왔습니다. 운동은 헬스장에 가서 하는 것이 마땅합니다. 그냥 볼을 열심히 때리는 것이 골프 실력 향상을 위한 연습인 양 착각하고 있지요. 그날 연습장에 가면 자기만의 작은 노트를 꺼내 오늘 향상하고자 하는 포인트를 적어놓아야 합니다. 실례로 '어드레스는 편안한 기마자세 유지'라든가 '그립은 부드럽게 30%의 힘으로' '백스윙 시 허리 높이까지 삼각형 유지' 등등 그날 연습장에서 마스터할 내용을 적어놓고 시작하면 연습은 큰 효과를 볼 것입니다. 더구나 이 노트는 필드에 나가서 라운딩 바로 직전에 다시 한번 펼쳐보고 실전에 임한다면 더 많은 실력 향상이 이루어질 것이 틀림없습니다.

골프는 어렵기에 매력적인 스포츠입니다. 절대 극복할 수 없는 게임이기에 다시 도전하게끔 만드는 것이지요. 우리 인생처럼 말입니다.

6
어려울수록 성취가 크다

골프는 자연과 함께 즐기는 게임입니다. 골프 코스는 자연 속에 있으며 자연 그대로이지요. 골퍼들이 필드로 달려가는 이유가 많겠지만 그 첫 번째는 자연이 있기 때문이 아닐까요.

무엇보다 잘 설계된 골프 코스는 골퍼들을 즐겁게 합니다. 골퍼들은 처음 가는 코스에 발을 디딜 때 적잖이 흥분합니다. 농담 삼아 자기가 제일 좋아하는 골프장은 '처음 가는 골프장'이라고 얘기하는 골퍼도 꽤 있습니다. 어쨌거나 골퍼들에게는 오늘 어떤 코스에서 라운딩하느냐가 그날의 스코어나 즐거움에 지대한 영향을 미칩니다. 재미있게도 4명이 같이 라운딩하지만 그 코스에 대한 평은 다 다르고 호감도도 제각각입니다. 각자의 실력이 다른 것도 있지만 난이도에 대응하는 마음가짐이 다르기 때문이지요. 골퍼의 성향에 따라 평이해서 점수가 잘 나오는 코스를 좋아하는 사람도 있고, 오히려 적절한 난이도를 가진 코스의 몰입도와 긴장을 즐기는 사람도 있습니다. 각자가 좋아하는 골프 코스는 다 다르다고 해도 과언이 아닙니다.

골프장 홀마다 다른 전략을 세워야 한다

제가 제일 좋아하는 골프 코스는 미국 서부 샌프란시스코 근처에 있는 '하프 문 베이Half Moon Bay'입니다. 샌프란시스코 공항에서 산호세 방향으로 약 30~40분 정도의 거리에 있으며 바닷가를 접하고 있는 해변 골프장입니다. 이 골프 코스는 올드코스와 뉴코스로 각각 18홀씩 나누어져 있습니다. 저는 올드코스를 너무도 좋아합니다.

뉴코스는 해변코스, 즉 링스Links 코스이고 올드코스는 숲속에 만들어진 코스입니다. 올드코스는 많은 홀들이 코스 주변의 멋진 저택들과 어우러져 풍경이 아름답습니다. 특히 파5인 5번 홀은 그린 주변이 아름다워 말로 표현하기가 어려울 지경입니다. 그린을 중심으로 오른쪽은 아름드리 미루나무가 서 있고 그 옆에 작은 연못이 있고 그린 왼쪽으로도 울창한 숲이 그림같이 서 있습니다. 그린 뒤쪽으로는 몇백만 불짜리 저택 서너 채가 잘 어우러져 펼쳐져 있습니다. 엽서 속에서나 볼 수 있는 풍광이 실제 눈앞에 생생하게 펼쳐져 있습니다. 특히 그린 100미터 전부터 눈앞에 들어오는 이 풍광에 숨이 막혀서 쉽사리 걸음을 옮기기 힘들어집니다.

마지막 18번 파4 홀은 이 코스의 시그니처Signature 홀입니다. 절벽 위에 만들어진 내리막 홀로써 티박스에 올라서면 18번 홀 전체가 내려다보입니다. 오른쪽으로 태평양이 펼쳐져 있고, 멀리 그린 쪽으로는 아름다운 리츠칼튼 호텔이 성처럼 그린을 에워싸고 있습니다.

제가 처음 그 홀을 라운딩하던 날은 저녁노을이 막 물들기 시작하던 때였습니다. 그린과 호텔 사이에는 조그마한 정원이 있고 그 정원에는 사람들이 커피나 맥주를 마시면서 저녁노을을 즐기고 있었습니다. 그 옆에 스코틀랜드 복장을 한 사람이 백파이프를 연주하고 있고 그들이 떠드는 소리가 티박스에서 다 들릴 정도로 정겨웠습니다. 그들 역시도 아름다운 올드코스의 한 부분이었습니다.

그 홀이 매우 어려운 홀임에도 불구하고 그날 저는 기적 같은 세컨샷으로 홀 바로 옆에 붙여 '탭인 버디'를 잡았습니다. 좀처럼 보기 힘든 일이 벌어진 것이지요. 제가 홀 주변에 도착하니 많은 사람들이 박수와 환호를 보내주었습니다. 그날의 흥분과 광경이 아직도 잊히지 않습니다. 제 일생에서 너무나도 즐거웠던 라운딩의 한 컷이었습니다. 그 이후로 하프 문 베이 올드코스를 너무도 사랑한 나머지 미국 서부 쪽으로 출장을 가면 반드시 이 코스를 방문하곤 했습니다.

제가 제일 좋아하는 한국의 골프 코스는 블랙스톤이라는 골프장입니다. 이 골프장은 제주도에 있는데 화산석이 많아서 블랙스톤이라 이름 지었다고 합니다. 자연 원시림이 있는 제주 곶자왈 지역에 설계된 골프 코스입니다. 특히 제주도 때죽나무 군락지에 자연과의 조화를 멋지게 이루어 낸 코스로 한번 라운딩하고 나면 누구라도 그 코스에 반하고 맙니다.

이 코스는 27홀로 이루어져 있으며 남 코스 9홀과 북 코스 9홀이 정규코스이고 동 코스는 퍼블릭 코스입니다. 홀마다 코스의 특징과 레이아웃이 다 달라서 홀마다 다른 전략을 구사해야만 무사히 골프를 마칠 수가 있습니다. 페어웨이는 한국에서 보기 드문 벤트 그라스 잔디로 마치 실크 카펫을 걷는 것처럼 푹신푹신하며 제주도의 아름다운 숲과 잘 어우러져 있습니다.

북 코스 8번 파5홀은 매직홀이라고 공식적으로 명명되어 있습니다. 티박스에서 보면 그린 앞까지 크고 작은 많은 벙커가 입을 벌리고 있는데 신기하게도 그린에서 티박스 쪽을 보면 그 많던 벙커는 사라지고 그냥 잘 정리된 페어웨이만 보입니다. 이 홀에서 대부분의 골퍼는 파만 기록해도 대만족입니다.

블랙스톤은 도전 의식을 불러오는 적절한 난이도, 코스의 관리 상태, 곳곳에 경탄을 자아내게 하는 제주 원시림과 코스의 조화 등 사람들을 유혹하는 포인트를 두루 갖췄습니다. 그런데 라운딩을 마치고 나면 언제나 골프 실력이 부족하다는 것을 깨닫게 해주는 곳이기도 합니다. 사정만 허락한다면 늘 달려가고 싶은 골프장이지요.

어려울수록 그 성취감은 더 커진다

로열 콜롬보 골프 클럽Royal Colombo Golf Club은 스리랑카의 수도인 콜롬보 한복판에 만들어진 골프 코스입니다. 영국 본토를 제외한다면 콜카타 다음으로 전 세계 두 번째로 만들어진 골프장입니다. 만들어진 지 150년 가까이 된 명문입니다. 당연히 스리랑카는 그 당시 영국 식민지였기 때문에 실론(스리랑카의 옛 국가명) 티를 생산하기 위해 이주해 온 영국인들에 의해 만들어졌습니다. 젊은 시절 해외 비즈니스를 담당했기에 가끔 스리랑카에 출장을 갔습니다. 그때마다 시간을 내어 오랜 역사가 서린 로열 콜롬보에서 라운딩을 즐겼습니다.

특이하게도 이 골프장은 코스 안에 철도가 있습니다. 150년 전에 수도 한복판에 골프장을 만들었고 그 이후 도시가 점점 넓어지면서 자연스럽게 그렇게 된 것이지요. 2번 홀의 이름은 '레일 사이드Rail Side'입니다. 티박스 바로 옆으로 해서 그린 옆까지 페어웨이를 따라 철도가 나란히 지나간다고 해서 붙인 이름입니다. 6번 홀은 철도가 페어웨이를 가로질러 지나가는데, 가끔은 티박스에 티샷을 하려고 할 때 열차가 칙칙폭폭 굉음을 내며 지나갈 때도 있습니다. 그래서 홀 이름은 '레일 크로싱Rail Crossing'입니다. 어처구니가 없지만 달리 생각하면 어디에서도 볼 수 없는 재미있는 광경입니다.

2008년 1월 29일의 일입니다. 6번 홀에 들어서니 마침 열차가 지나고 있었습니다. 열차가 지나가기를 기다려 심호흡을 한 뒤 드라이버 샷을 날렸습니다. 경쾌한 음을 남기고 볼은 힘차게 쭉쭉 페어웨이를 가로지르는 철로로 향했습니다. 6번 홀은 전장이 270미터(300야드)가 채 안 되는 짧은 홀이어서 페어웨이를 가로질러 홀 옆으로 빠지는 철로의 바운스(튀어오름)를 잘 이용하면 원 온One On도 가능한 곳이었습니다. 그날따라 볼은 정확하게 바운스가 가능한 지점을 맞혔고 볼은 크게 바운스가 되고는 그린 쪽으로 날아가는 것이 아닙니까? 그런데 다들 티샷과 세컨샷을 마치고 그린에 가보니 공이 보이지 않았습니다. 그린 옆 벙커도 샅샅이 뒤지고 그린 너머 러프도 살펴봤지만, 어디에도 공은 없었습니다. 몇 분을 사라진 공을 찾다가 포기를 하고 혹시나 하는 마음에 홀컵 안을 확인해 보았습니다. 철로를 맞아 스크래치가 난 볼이 그 안에 다소곳이 들어가 있는 게 아닌가요?

"알바트로스다!"

난리가 났습니다. 이런 기적이 다 있나요? 서로 얼싸안고 춤을 추었습니다. 제가 제일 사랑하는 골프 코스는 이렇게 해서 만들어진 것입니다. 그저 쉬운 난이도에 맞춰 골프를 치는 것과는 비교할 수 없을 만큼 성취가 컸습니다. 어려울수록 뭔가를 달성하면 그 성취는 더욱 커지는 법입니다.

에필로그

10시간과 15분

얼마 전 등산동호회 사람들과 베트남 판시판Fansipan 등산을 다녀왔습니다. 판시판은 하노이에서 북쪽으로 버스로 5시간 거리에 있는 유명한 휴양지입니다. 베트남에서 유일하게 겨울에 눈을 볼 수 있는 고산지대이며, 정상은 해발 3,143미터나 됩니다. 우리의 목적지는 당연히 정상까지 가는 것이었습니다.

출발 전부터 많은 준비를 했습니다. 해발 3,000미터나 되는 해외 산행이고 50여 명이 한꺼번에 움직여야 하니까 신경 쓸 일이 한둘이 아니었습니다. 현지 가이드도 여러 명 분산해서 배치하고, 가이드 대장도 제일 믿음직한 분으로 정했습니다. 점심은 가이드들이 중간캠프까지 배달해줄 수 있도록 했습니다. 고산증을 염려하는 사람도 있었습니다만 천천히 산에 오르면 조금씩 희박한 산소에 적응되기 때문에 큰 문제가 되지 않을 것 같다는 의견이 더 많았습니다.

우리는 아침 7시에 숙소에서 나와 출발점에 집합했습니다. 등

반대장의 구호에 맞춰 준비운동을 하고, 출발에 앞서 각자 등산 용품도 점검하였습니다. 멀리 희미하게 보이는 판시판 정상을 배경으로 사진도 찍고 왁자지껄 설레는 마음으로 서로가 서로에게 화이팅을 외쳤습니다. 오후 5시 전까지 산정상에 도착하는 것이 우리의 목표였습니다.

2시간 주파가 목표였던 제1캠프까지는 한 명의 낙오자도 없었습니다. 다들 생생했고 기운들이 넘쳤습니다. 제2캠프에 도착해서 가이드들이 준비해 준 점심을 먹고 그날의 목표인 정상을 향해 출발할 계획이었습니다. 그런데 제1캠프에서 제2캠프로 올라갈 때부터 선두와 간격이 벌어지기 시작했습니다. 제2캠프까지는 3시간 정도를 예상했는데 상상했던 것보다 길이 험했습니다. 급기야 중도에 하산하는 사람도 생겼습니다.

저는 제2캠프에 도착하기 한 시간 전부터 컨디션이 별로 좋지 않았습니다. 다리에 쥐가 한번 나더니 횟수가 잦아졌고 허벅지에 근육경련까지 생겼습니다. 어쩌면 중도 하산이 현명했을 수도 있었지만 '나는 아직 젊다.'라는 자존심이 포기를 허락하지 않았습니다. 마침 제2캠프에서 만난 어떤 분이 근육이완제를 주셔서 이후 증상은 많이 완화되었습니다.

하지만 더 힘든 산행이 우리를 기다리고 있었습니다. 제2캠프에서부터가 진짜 인생을 건 산행이었습니다. 가파르게 올라갔다가 내려가고 다시 올랐다가 내려가는 롤러코스터 코스였습니다. 경사가 심한 곳은 사다리나 밧줄을 잡고 기어오르다시피 전진하고 또 전진해야만 했습니다. 무리하게 힘을 줄 때마다 허벅지의 경련이 저를 괴롭혔고, 멈춰 서게 만들었습니다. 철제 봉으로 만든 사다리를 오를 때 경련이 나면 기어오르는 자세 그대로 멈춰 경련이 가라앉기를 기다려야 하는 지경에 이르렀습니다. 제 인내심도 차츰 바닥을 드러내고 있었죠. 인내심만이 아니라 체력도 바닥 나서 10분 오르고 10분 쉬어야 하는 상황이 왔습니다. 뭔지 모를 두려움과 불안이 엄습해 왔습니다. 이러다가 정상에 못 오르고 중간에서 비박을 해야 할지도 모른다는 두려움이었습니다. 이럴 줄 알았으면 먹을 것이라도 넉넉히 챙겨올걸, 물도 아껴서 마실 걸, 이런 사소한 후회가 쌓였고 평소 운동을 소홀히 한 것을 질책했습니다.

제2캠프를 출발한 지 3시간이 지난 즈음이었습니다. 언덕 너머에 정상이 다가와 있는 게 아니겠습니까. 드디어 산행의 끝이 보였습니다. 한 시간 전부터 저를 염려의 눈으로 쳐다보면서 뒤따라오던 현지 가이드에게 물었습니다. 이제 30분만 더 가면 도착하느냐고. 그런데 돌아오는 대답은 앞으로 한 시간은 족히 걸린다는 것입니다. 맙소사! 다시 깊은 계곡으로 내려갔다가 올라가야 하기 때문이라고 하더군요. 더구나 지금 당신 상태로 봐서는 한 시간 반은 더 걸릴 것 같다고 했습니다. 최악의 절망이었습니다.

마지막 30분은 어떻게 올랐는지 모르겠습니다. 너덜너덜, 흐느적흐느적 영혼이 나간 사람처럼 기어올랐을 것입니다. 조금만 더 가자, 조금만 더. 이제 거의 다 왔다. 저기 정상이 보인다. 스스로에게 최면을 걸면서 걷고 또 걸었습니다. 그리고 마침내 정상에 도착했습니다. 10시간 동안 저 나름대로 죽을 힘을 다했습니다. 30년 전에 3,776미터인 후지산을 1박 2일 오를 때도 이렇게 힘들지 않았는데 나이를 먹었다는 것을 실감하고야 말았습니다.

정상에서 등정의 기쁨을 만끽했습니다. 3,143미터라고 적힌 표지석 옆에서 큰소리를 치면서 사진도 찍었습니다. 10시간 동안의 아픔과 두려움 그리고 강렬했던 절망을 훌훌 털고 여러 장의 자축 사진을 남겼습니다. 그 순간엔 역경과 고난을 이겨내고 성공한 인생이 바로 이런 게 아닐까 하는 생각마저도 들었습니다.

우리는 정상에서 케이블카를 타고 내려와서 그날 산행을 종료했습니다. 딱 15분 걸리더군요. 10시간 동안 힘들 게 올라갔는데 15분 만에 출발선에 되돌아오다니. 약간 허무한 생각도 들었습니다. 10시간과 15분. 이 두 가지 시간의 간극이 매번 각자가 선택했던 인생인 것 같았습니다. 다시 판시판에 오른다면 나는 어떤 선택을 할 것인가 질문해 봅니다. 아마 다시 간다고 해도 저는 한 발 한 발 힘들게 오르는 산행을 선택할 것 같습니다. 힘들면 잠깐 멈춰 풍광도 둘러보고 바람도 느끼고 다시 걸음을 재촉할 것입니다. 지금까지 살아왔듯이 말입니다.

인생의 승패는 어떻게 결정되는가

: 인생이라는 긴 레이스를 뛰는 젊은 리더들에게

초판 1쇄 인쇄 2023년 9월 8일
초판 1쇄 발행 2023년 9월 15일

지은이 김대희
펴낸이 안현주

기획 류재운 이지혜 **편집** 안선영 박다빈 **마케팅** 안현영
디자인 표지 정태성 본문 장덕종

펴낸곳 클라우드나인   **출판등록** 2013년 12월 12일(제2013-101호)
주소 우) 03993 서울시 마포구 월드컵북로 4길 82(동교동) 신흥빌딩 3층
전화 02 - 332 - 8939   **팩스** 02 - 6008 - 8938
이메일 c9book@naver.com

값 17,000원
ISBN 979 - 11 - 92966 - 36 - 6 03320